특허청 등록

최보규 자기계발코칭 창시자

등록 번호: 제 40-2072344 호

강사는 누구나 한다. 다만
강사 비수기 5개월은 아무나 극복하지 못한다.

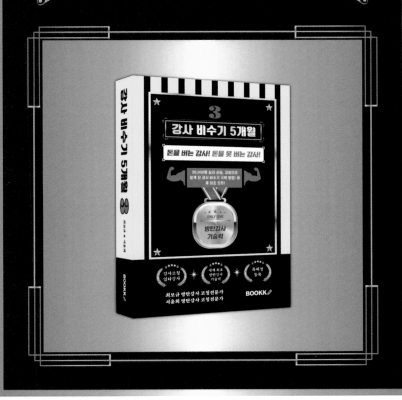

강사 비수기 5개월 극복 시스템
방탄강사기술력 12단계 시스템

특허청 등록
최보규 자기계발코칭 창시자
등록 번호: 제 40-2072344 호
강사 비수기 5개월
돈을 버는 강사! 돈을 못 버는 강사!
20,000명 심리 상담, 코칭으로
알게 된 강사 비수기 극복 방법!
세계 최초 오픈!
ONLY ONE
방탄강사
기술력

특허청 등록

최보규 자기계발코칭 창시자

등록 번호: 제 40-2072344 호

강사는 누구나 한다. 다만
강사 비수기 5개월은 아무나 극복하지 못한다.

방탄강사기술력 사명

들어라 하지 말고 듣게 하자.
누구처럼 살지 말고 나답게 살자.
좋아하게 하지 말고 좋아지게 하자.
마음을 얻으려 하지 말고 마음을 열게 하자.
믿으라 말하지 말고 믿을 수 있는 사람이 되자.
좋은 사람을 기다리지 말고 좋은 사람이 되어주자.
보여주는(인기) 인생을 사는 것이 아닌
보여지는(인정) 인생을 살아가자.
나 이런 사람이야 말하지 않아도 이런 사람이구나.
몸, 머리, 마음으로 느끼게 하자

-최보규 방탄기술력 창시자-

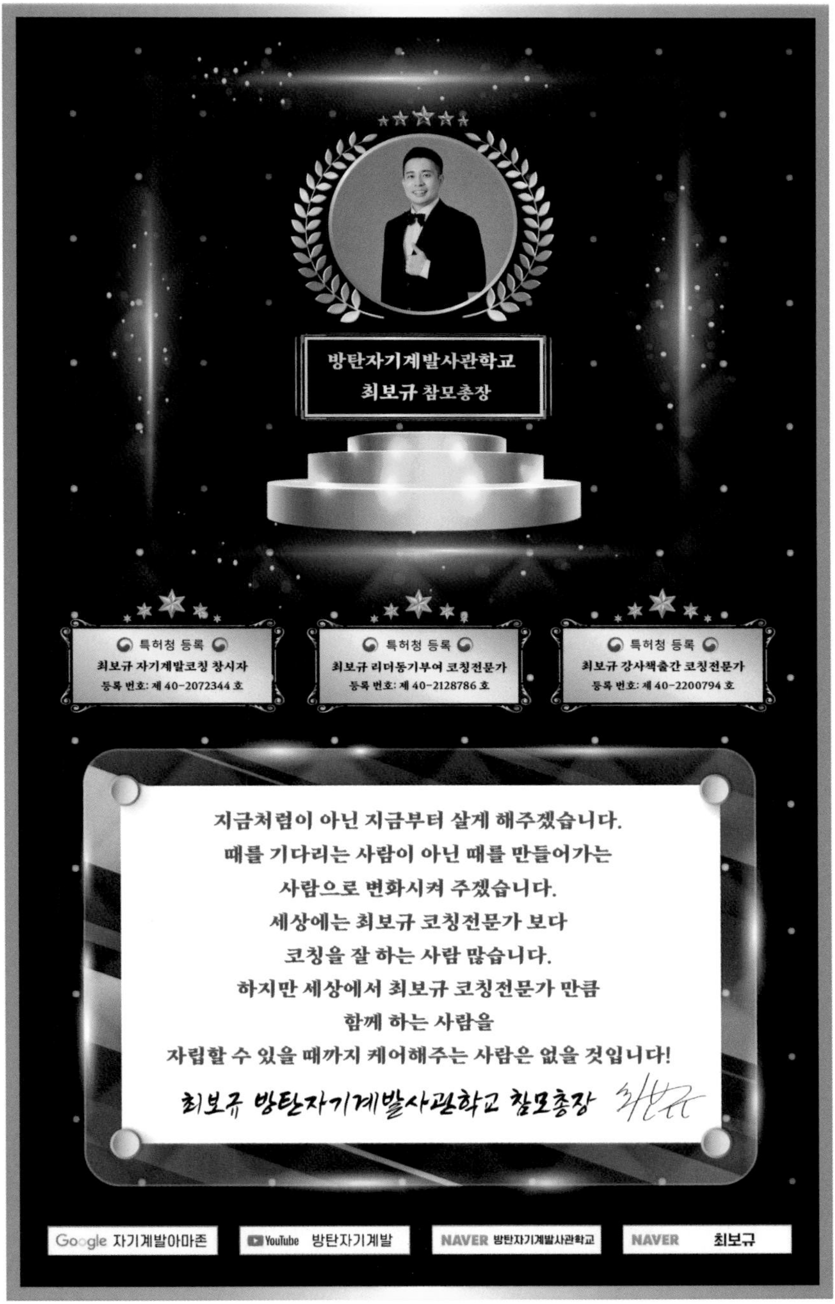
방탄자기계발사관학교
최보규 참모총장
특허청 등록
최보규 자기계발코칭 창시자
등록 번호: 제 40-2072344 호
특허청 등록
최보규 리더동기부여 코칭전문가
등록 번호: 제 40-2128786 호
특허청 등록
최보규 강사책출간 코칭전문가
등록 번호: 제 40-2200794 호
지금처럼이 아닌 지금부터 살게 해주겠습니다.
때를 기다리는 사람이 아닌 때를 만들어가는
사람으로 변화시켜 주겠습니다.
세상에는 최보규 코칭전문가 보다
코칭을 잘 하는 사람 많습니다.
하지만 세상에서 최보규 코칭전문가 만큼
함께 하는 사람을
자립할 수 있을 때까지 케어해주는 사람은 없을 것입니다!
최보규 방탄자기계발사관학교 참모총장
Google 자기계발아마존
YouTube 방탄자기계발
NAVER 방탄자기계발사관학교
NAVER 최보규

강사 비수기 5개월 머리말

강사는 누구나 한다. 다만
강사 비수기 5개월은 아무나 극복하지 못한다.

돈을 버는 강사! 돈을 못 버는 강사!

20,000명 심리 상담, 코칭으로
알게 된 강사 비수기 극복 방법!
세계 최초 오픈!
ONLY ONE
방탄강사
기술력

강사 비수기 5개월!
극복 프로젝트
(100만 프리랜서 비수기 극복)

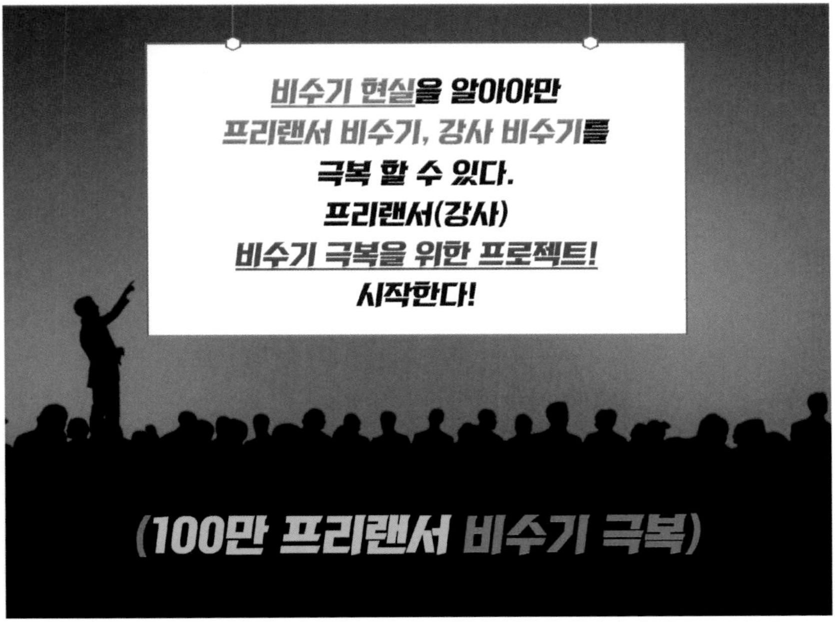
비수기 현실을 알아야만
프리랜서 비수기, 강사 비수기를
극복 할 수 있다.
프리랜서(강사)
비수기 극복을 위한 프로젝트!
시작한다!
(100만 프리랜서 비수기 극복)

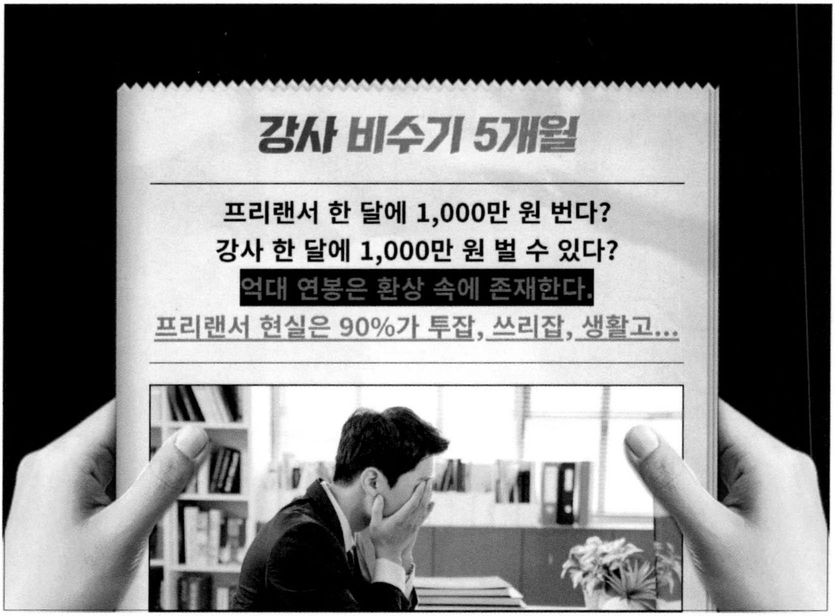
강사 비수기 5개월
프리랜서 한 달에 1,000만 원 번다?
강사 한 달에 1,000만 원 벌 수 있다?
억대 연봉은 환상 속에 존재한다.
프리랜서 현실은 90%가 투잡, 쓰리잡, 생활고...

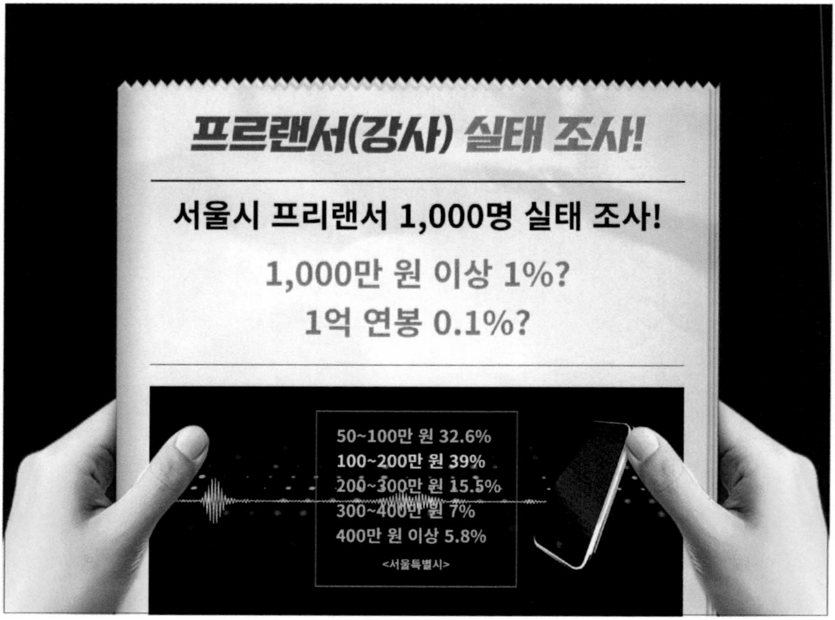
프리랜서(강사) 실태 조사!
서울시 프리랜서 1,000명 실태 조사!
1,000만 원 이상 1%?
1억 연봉 0.1%?
50~100만 원 32.6%
100~200만 원 39%
200~300만 원 15.5%
300~400만 원 7%
400만 원 이상 5.8%
<서울특별시>

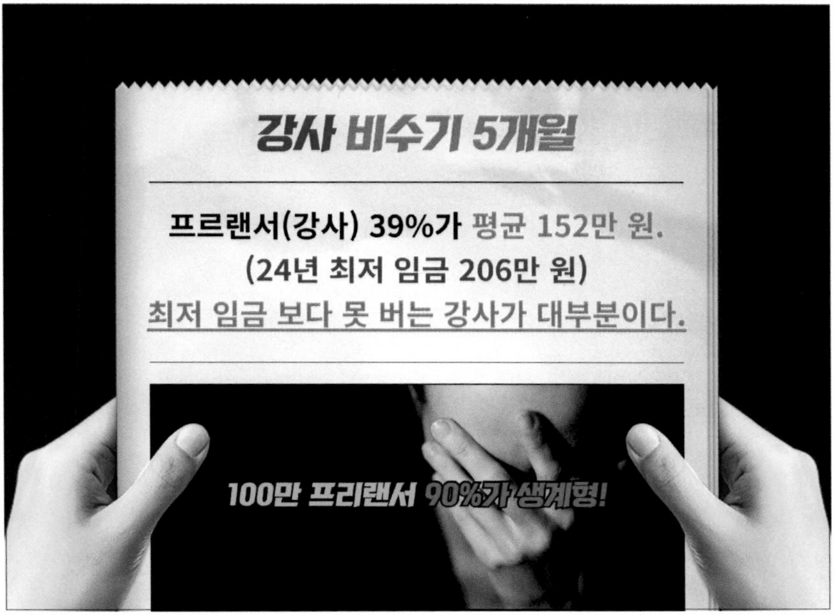

강사 비수기 5개월

프르랜서(강사) 39%가 평균 152만 원.
(24년 최저 임금 206만 원)
최저 임금 보다 못 버는 강사가 대부분이다.

100만 프리랜서 90%가 생계형!

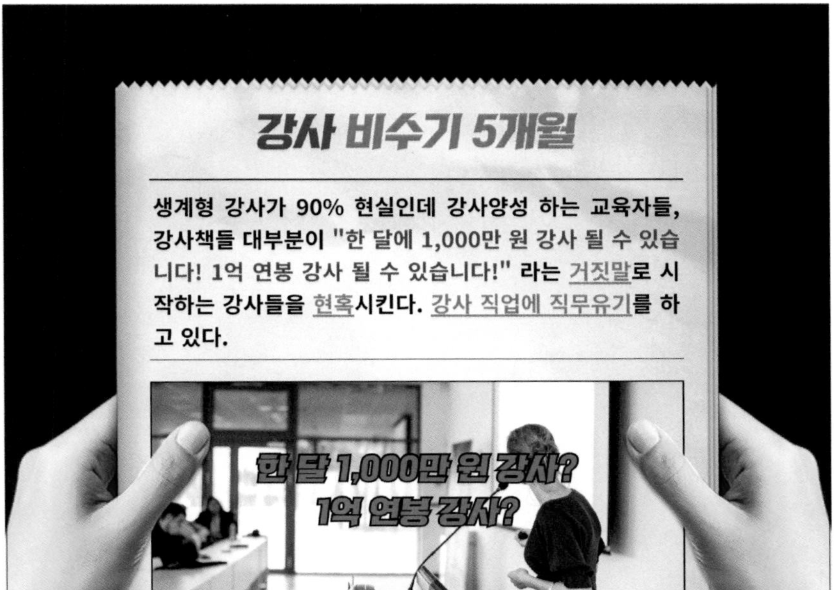

강사 비수기 5개월

생계형 강사가 90% 현실인데 강사양성 하는 교육자들, 강사책들 대부분이 "한 달에 1,000만 원 강사 될 수 있습니다! 1억 연봉 강사 될 수 있습니다!" 라는 거짓말로 시작하는 강사들을 현혹시킨다. 강사 직업에 직무유기를 하고 있다.

한 달 1,000만 원 강사?
1억 연봉 강사?

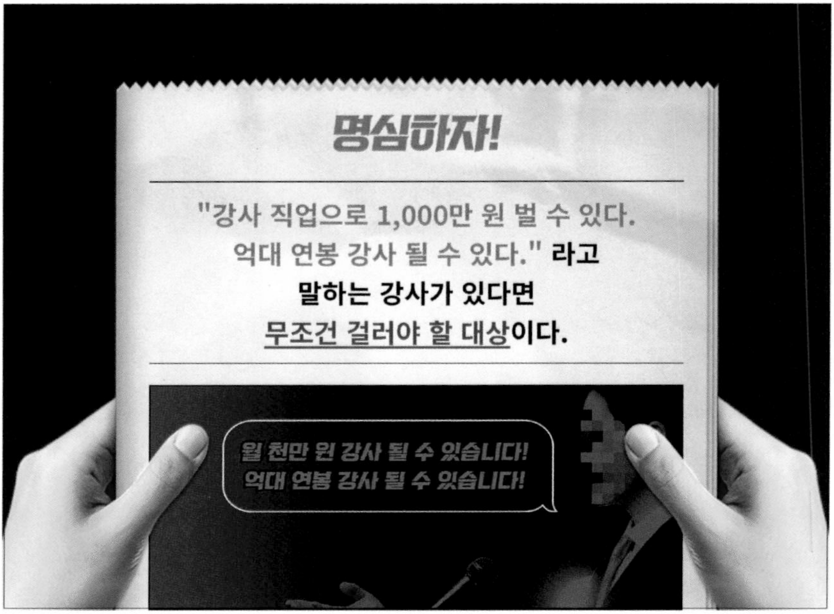
명심하자!
"강사 직업으로 1,000만 원 벌 수 있다.
억대 연봉 강사 될 수 있다." 라고
말하는 강사가 있다면
무조건 걸러야 할 대상이다.
월 천만 원 강사 될 수 있습니다!
억대 연봉 강사 될 수 있습니다!

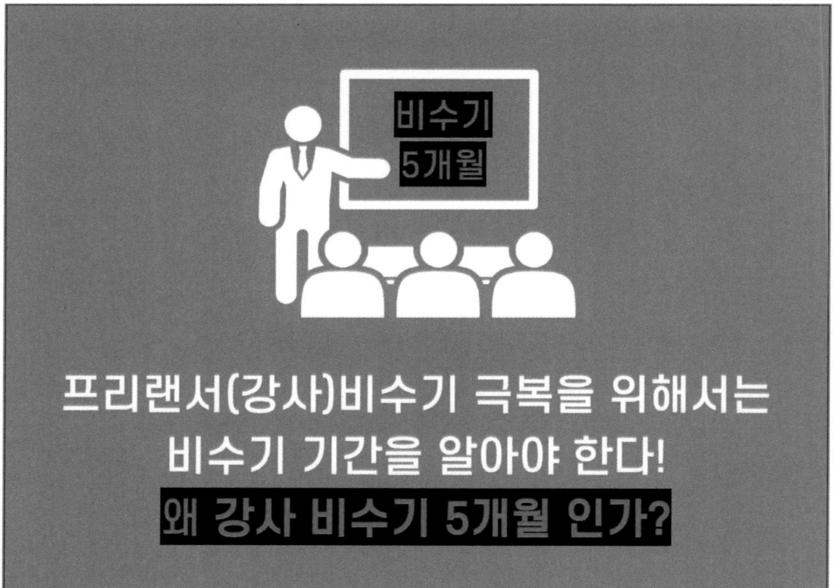
비수기
5개월
프리랜서(강사)비수기 극복을 위해서는
비수기 기간을 알아야 한다!
왜 강사 비수기 5개월 인가?

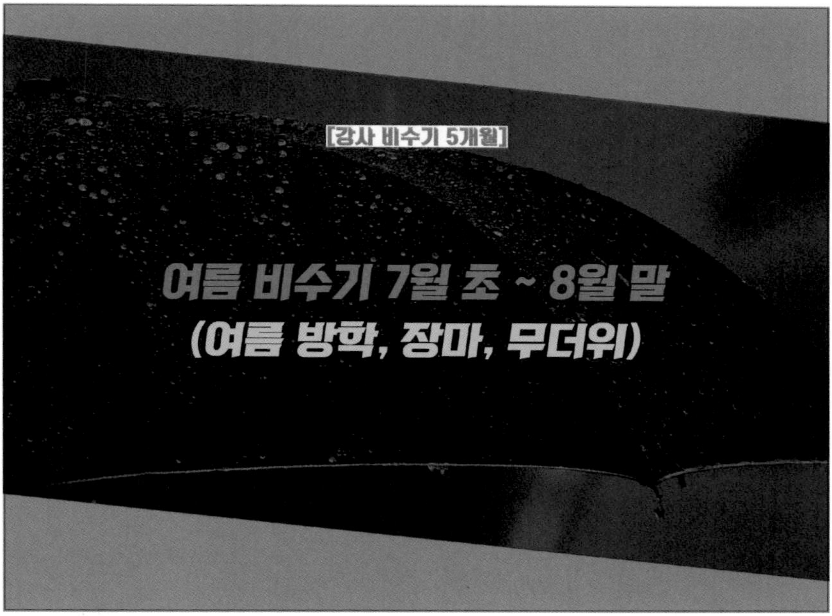
[강사 비수기 5개월]
여름 비수기 7월 초 ~ 8월 말
(여름 방학, 장마, 무더위)

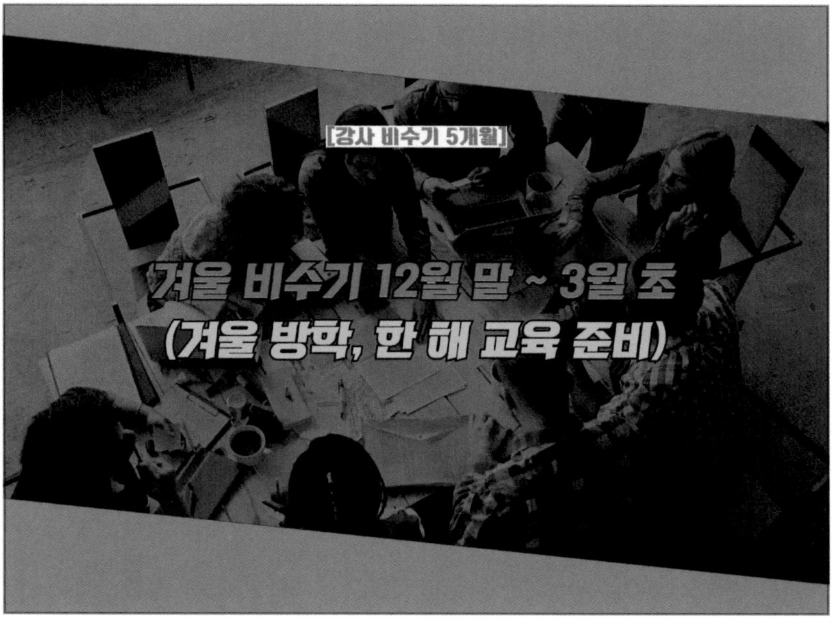
[강사 비수기 5개월]
겨울 비수기 12월 말 ~ 3월 초
(겨울 방학, 한 해 교육 준비)

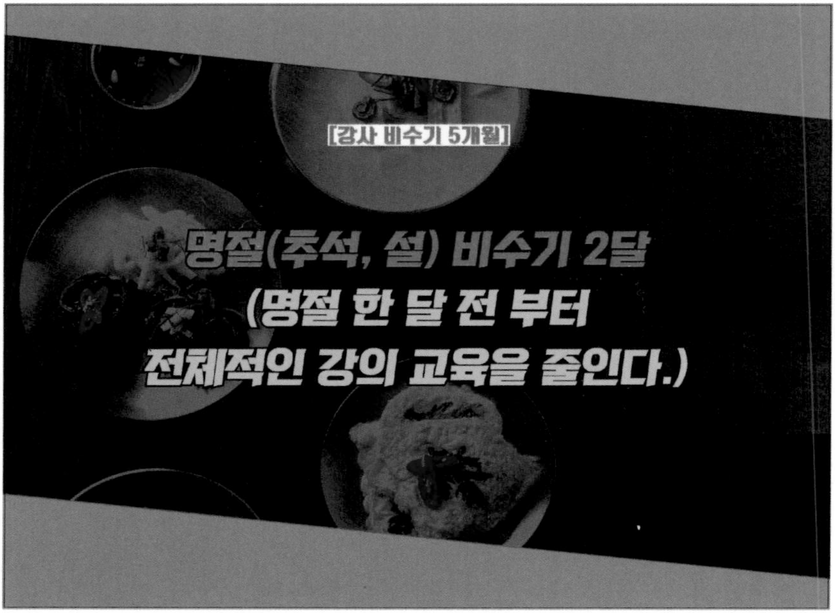
[강사 비수기 5개월]
명절(추석, 설) 비수기 2달
(명절 한 달 전 부터
전체적인 강의 교육을 줄인다.)

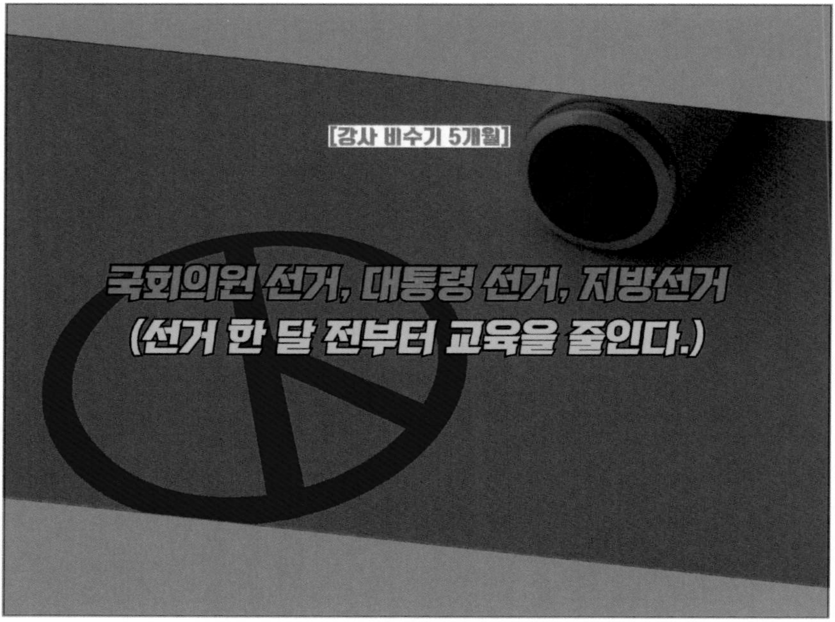
[강사 비수기 5개월]
국회의원 선거, 대통령 선거, 지방선거
(선거 한 달 전부터 교육을 줄인다.)

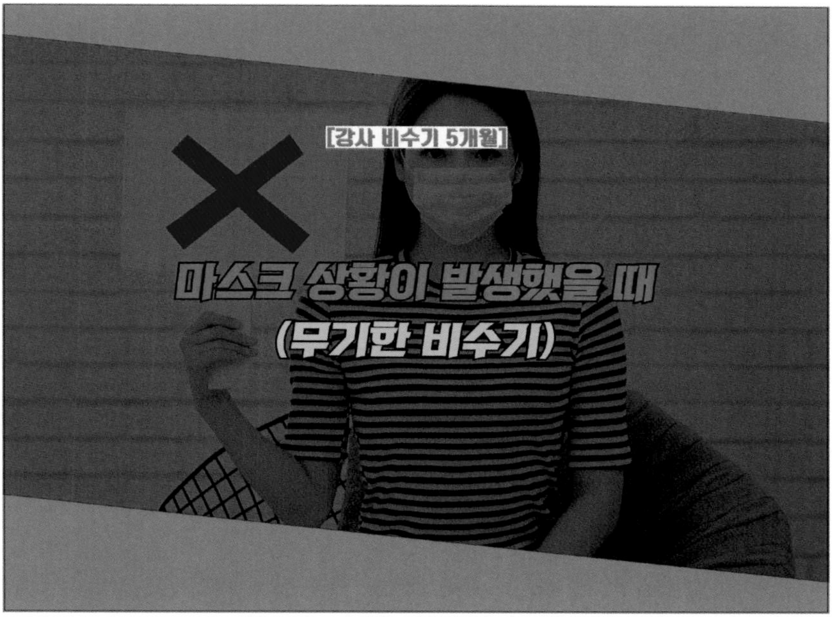
[강사 비수기 5개월]
마스크 상황이 발생했을 때
(무기한 비수기)

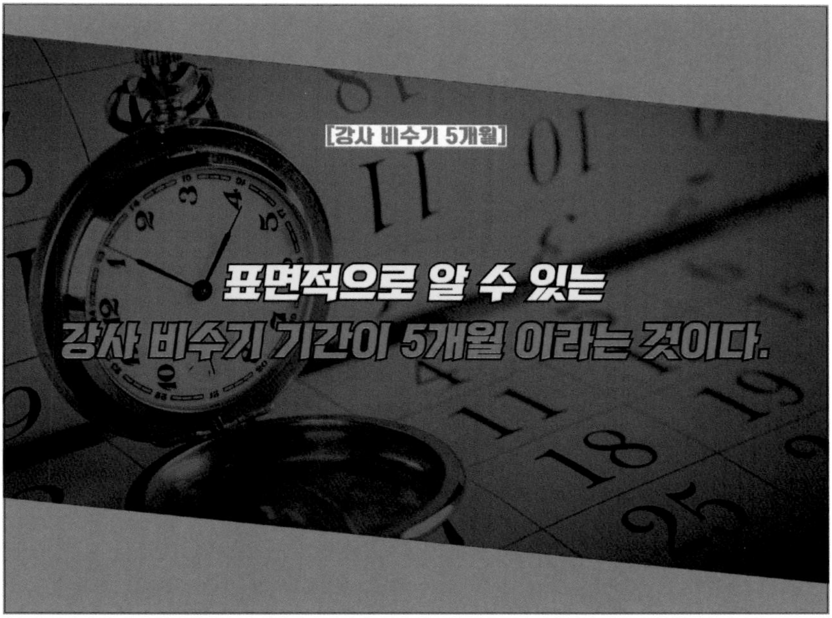
[강사 비수기 5개월]
표면적으로 알 수 있는
강사 비수기 기간이 5개월 이라는 것이다.

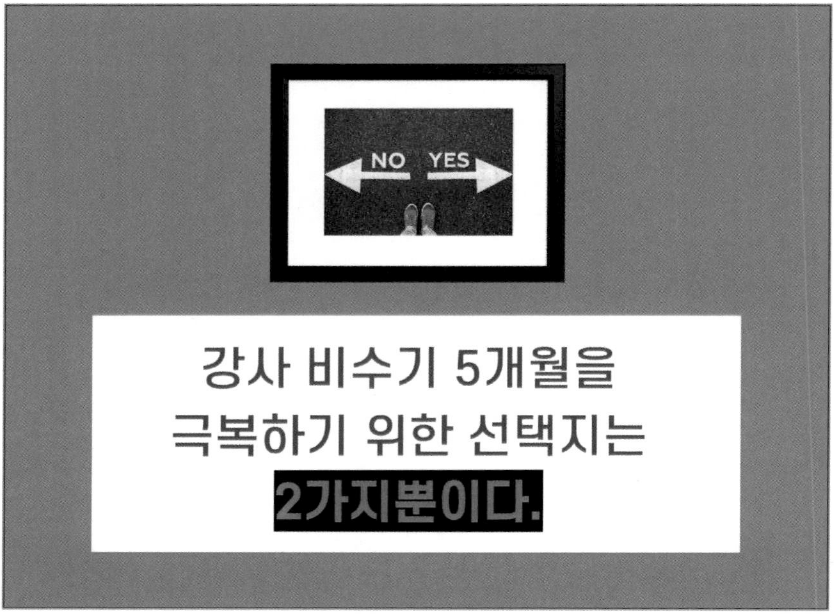
NO
YES
강사 비수기 5개월을
극복하기 위한 선택지는
2가지뿐이다.

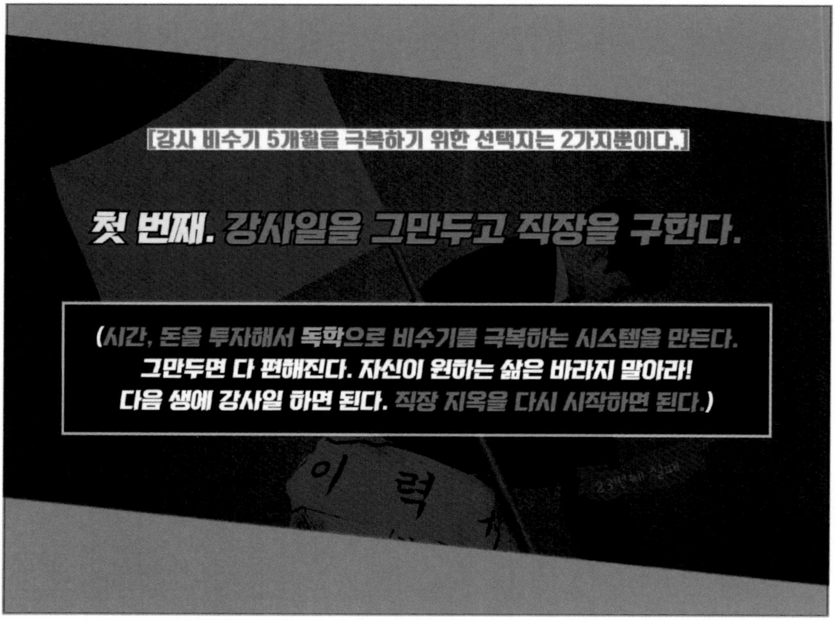
[강사 비수기 5개월을 극복하기 위한 선택지는 2가지뿐이다.]
첫 번째. 강사일을 그만두고 직장을 구한다.
(시간, 돈을 투자해서 독학으로 비수기를 극복하는 시스템을 만든다.
그만두면 다 편해진다. 자신이 원하는 삶은 바라지 말아라!
다음 생에 강사일 하면 된다. 직장 지옥을 다시 시작하면 된다.)

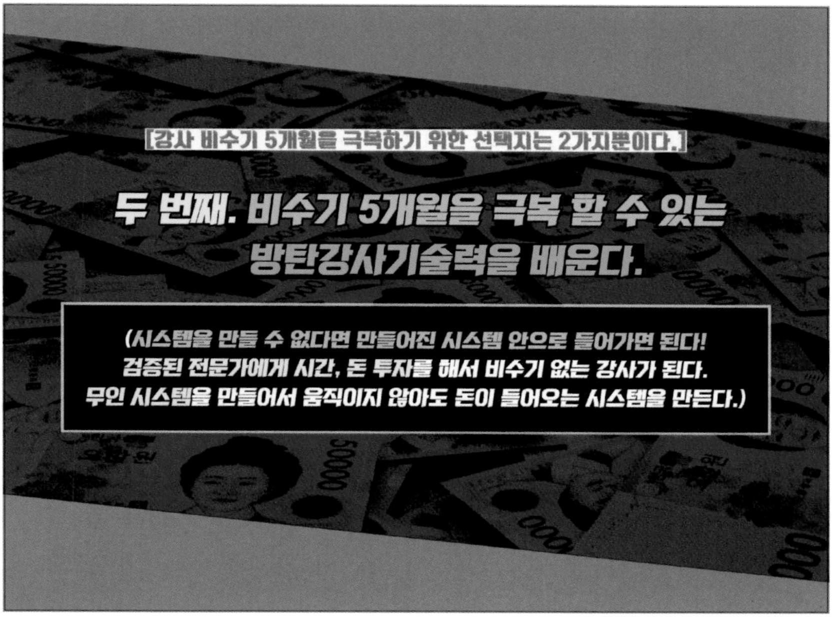
[강사 비수기 5개월을 극복하기 위한 선택지는 2가지뿐이다.]
두 번째. 비수기 5개월을 극복 할 수 있는
방탄강사기술력을 배운다.
(시스템을 만들 수 없다면 만들어진 시스템 안으로 들어가면 된다!
검증된 전문가에게 시간, 돈 투자를 해서 비수기 없는 강사가 된다.
무인 시스템을 만들어서 움직이지 않아도 돈이 들어오는 시스템을 만든다.)

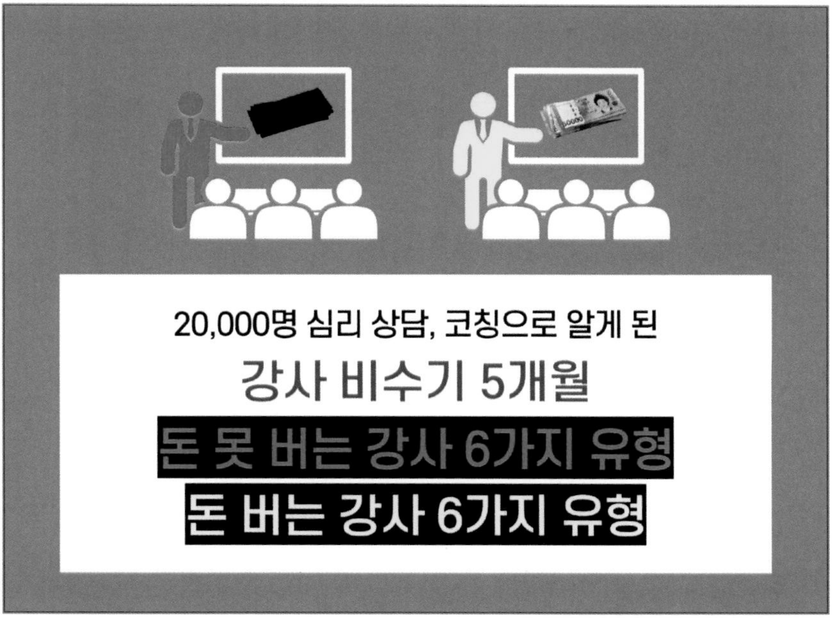
20,000명 심리 상담, 코칭으로 알게 된
강사 비수기 5개월
돈 못 버는 강사 6가지 유형
돈 버는 강사 6가지 유형

20,000명 심리 상담, 코칭으로 알게 된
강사 비수기 5개월 돈 못 버는 강사 6가지 유형

1. 강사 인맥 없음.
2. 강의 거래처 없음.
3. 강사 스펙 없음.
4. 강사료 10만 원 이하 강의만 하는 강사 (평균 10건 강의 중 80%가 10만 원 이하 강의를 하는 강사. 10건 중 8건 평균 강사료가 1시간에 10만 원 이라면 강사 몸값은 10만 원이 되는 것이다.)
5. 강의 경력이 10년, 20년이 되어도 강사료가 그대로인 강의를 하는 강사 (관공서 강의, 학교 강의, 복지관 강의, 의무 교육 강의...강사료가 100년이 지나도 고정되어 있는 강의 분야)
6. 온라인 콘텐츠, 디지털 콘텐츠 디자인 제작을 못하는 강사

#. 6가지 유형 중 한 가지라도 해당되면 돈을 벌 수 없다.

20,000명 심리 상담, 코칭으로 알게 된
강사 비수기 5개월 돈 버는 강사 6가지 유형

1. 강사 양성 교육 시스템(강사 교육, 코칭)이 있는 강사
2. 민간 자격증 교육 시스템(검증된 민간 자격증 발급 기관)이 있는강사
3. 단톡, 밴드, 카페, 모임방(100명 이상)을 운영하는 단체, 협회 장
4. 강사 에이전시(기업과 강사를 연결) 역할을 하는 단체, 협회 장
5. 강의 전문 분야로 온라인 콘텐츠 제작
   (PPT 디자인, 영상 디자인, 홍보 디자인)을 할 수 있는 강사
6. 책, 디지털 콘텐츠 제작으로 무인 시스템을 만든 강사

#. 6가지 유형을 모두 하더라도 돈을 무조건 버는 것이 아니다. 극소수 강사만 돈을 번다.(0.1%)

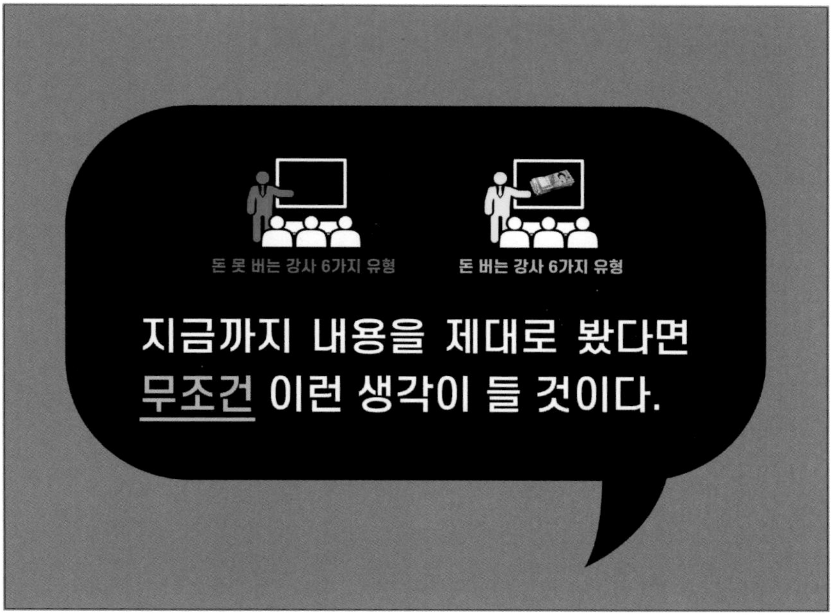
돈 못 버는 강사 6가지 유형
돈 버는 강사 6가지 유형
지금까지 내용을 제대로 봤다면
무조건 이런 생각이 들 것이다.

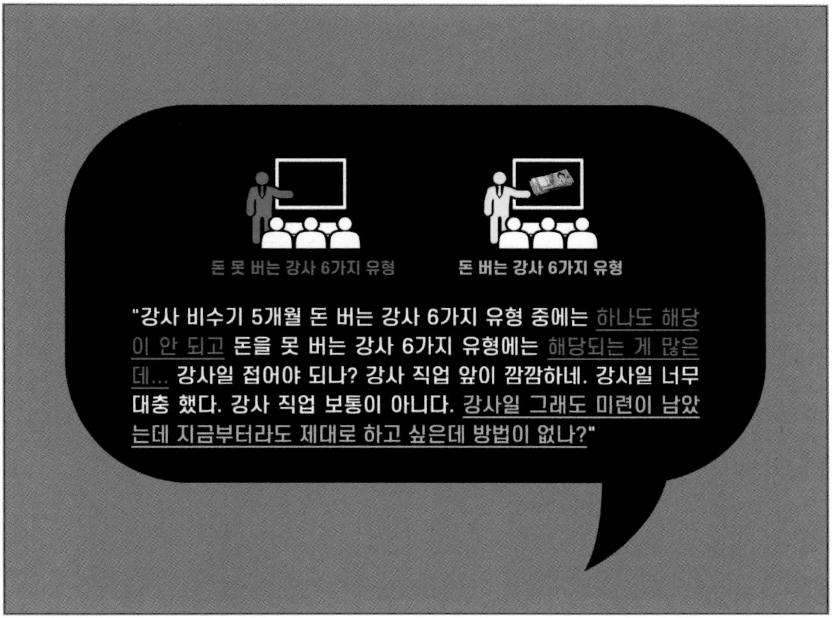
돈 못 버는 강사 6가지 유형
돈 버는 강사 6가지 유형
"강사 비수기 5개월 돈 버는 강사 6가지 유형 중에는 하나도 해당이 안 되고 돈을 못 버는 강사 6가지 유형에는 해당되는 게 많은데... 강사일 접어야 되나? 강사 직업 앞이 깜깜하네. 강사일 너무 대충 했다. 강사 직업 보통이 아니다. 강사일 그래도 미련이 남았는데 지금부터라도 제대로 하고 싶은데 방법이 없나?"

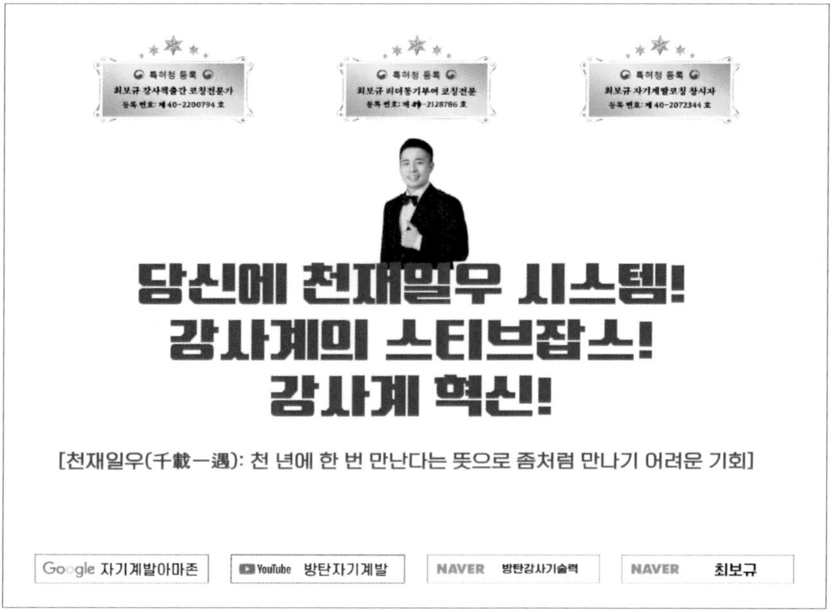
특허청 등록
최보규 강사책출간 코칭전문가
등록 번호: 제 40-2200794 호
특허청 등록
최보규 자기계발코칭 창시자
등록 번호: 제 40-2072344 호
당신에 천재일우 시스템!
강사계의 스티브잡스!
강사계 혁신!
[천재일우(千載一遇): 천 년에 한 번 만난다는 뜻으로 좀처럼 만나기 어려운 기회]
Google 자기계발아마존
YouTube 방탄자기계발
NAVER 방탄강사기술력
NAVER 최보규

어떤 영상에서도
말하지 못한
프리랜서 비수기
강사 비수기
극복 기술력
어떤 책에서도
볼 수 없는
프리랜서 비수기
강사 비수기
극복 기술력
어떤 교육, 코칭에서도
들을 수 없는
프리랜서 비수기
강사 비수기
극복 기술력
Google 자기계발아마존
YouTube 방탄자기계발
NAVER 방탄강사기술력
NAVER 최보규

특허청 등록
최보규 강사책출간 코칭전문가
등록 번호: 제 40-2200794 호
특허청 등록
최보규 리더동기부여 코칭전문가
등록 번호: 제 40-2128786 호
특허청 등록
최보규 자기계발코칭 창시자
등록 번호: 제 40-2072344 호
특허청 등록으로 검증된 전문가
최보규 방탄강사기술력 창시자
방탄강사기술력
프리랜서, 강사라면 무조건
방탄강사기술력을 배워야 되는
25가지 이유!
Google 자기계발아마존
YouTube 방탄자기계발
NAVER 방탄강사기술력
NAVER 최보규

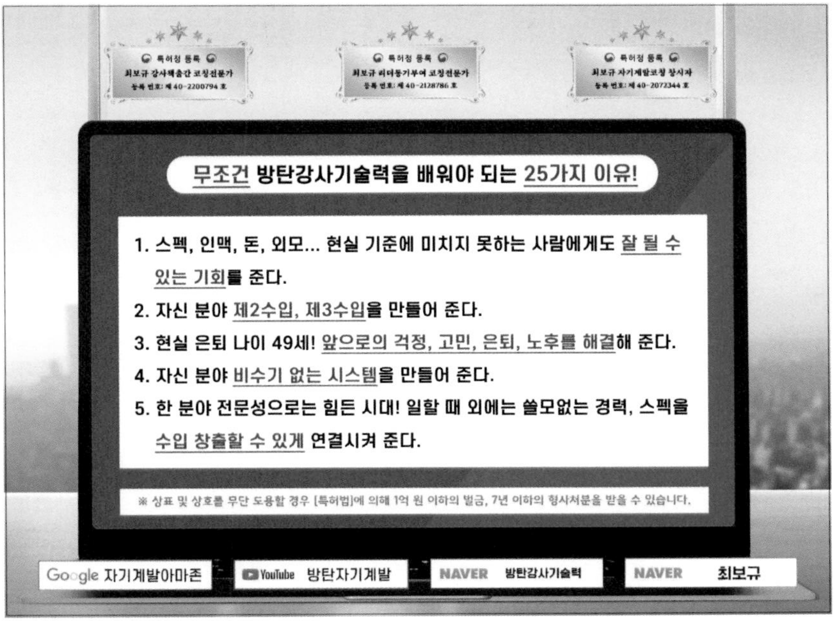

특허청 등록
최보규 강사책출간 코칭전문가
등록 번호: 제 40-2200794 호
특허청 등록
최보규 리더동기부여 코칭전문가
등록 번호: 제 40-2128786 호
특허청 등록
최보규 자기계발코칭 창시자
등록 번호: 제 40-2072344 호
무조건 방탄강사기술력을 배워야 되는 25가지 이유!
1. 스펙, 인맥, 돈, 외모... 현실 기준에 미치지 못하는 사람에게도 잘 될 수 있는 기회를 준다.
2. 자신 분야 제2수입, 제3수입을 만들어 준다.
3. 현실 은퇴 나이 49세! 앞으로의 걱정, 고민, 은퇴, 노후를 해결해 준다.
4. 자신 분야 비수기 없는 시스템을 만들어 준다.
5. 한 분야 전문성으로는 힘든 시대! 일할 때 외에는 쓸모없는 경력, 스펙을 수입 창출할 수 있게 연결시켜 준다.
※ 상표 및 상호를 무단 도용할 경우 [특허법]에 의해 1억 원 이하의 벌금, 7년 이하의 형사처분을 받을 수 있습니다.
Google 자기계발아마존
YouTube 방탄자기계발
NAVER 방탄강사기술력
NAVER 최보규

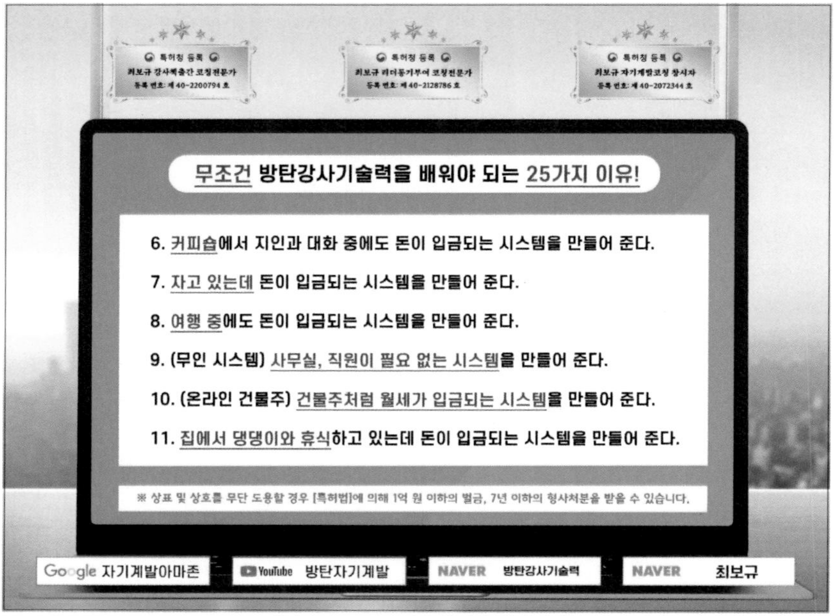
특허청 등록
최보규 강사책출간 코칭전문가
등록 번호: 제 40-2200794 호
특허청 등록
최보규 리더동기부여 코칭전문가
등록 번호: 제 40-2128786 호
특허청 등록
최보규 자기계발코칭 창시자
등록 번호: 제 40-2072344 호
무조건 방탄강사기술력을 배워야 되는 25가지 이유!
6. 커피숍에서 지인과 대화 중에도 돈이 입금되는 시스템을 만들어 준다.
7. 자고 있는데 돈이 입금되는 시스템을 만들어 준다.
8. 여행 중에도 돈이 입금되는 시스템을 만들어 준다.
9. (무인 시스템) 사무실, 직원이 필요 없는 시스템을 만들어 준다.
10. (온라인 건물주) 건물주처럼 월세가 입금되는 시스템을 만들어 준다.
11. 집에서 댕댕이와 휴식하고 있는데 돈이 입금되는 시스템을 만들어 준다.
※ 상표 및 상호를 무단 도용할 경우 [특허법]에 의해 1억 원 이하의 벌금, 7년 이하의 형사처분을 받을 수 있습니다.
Google 자기계발아마존
YouTube 방탄자기계발
NAVER 방탄강사기술력
NAVER 최보규

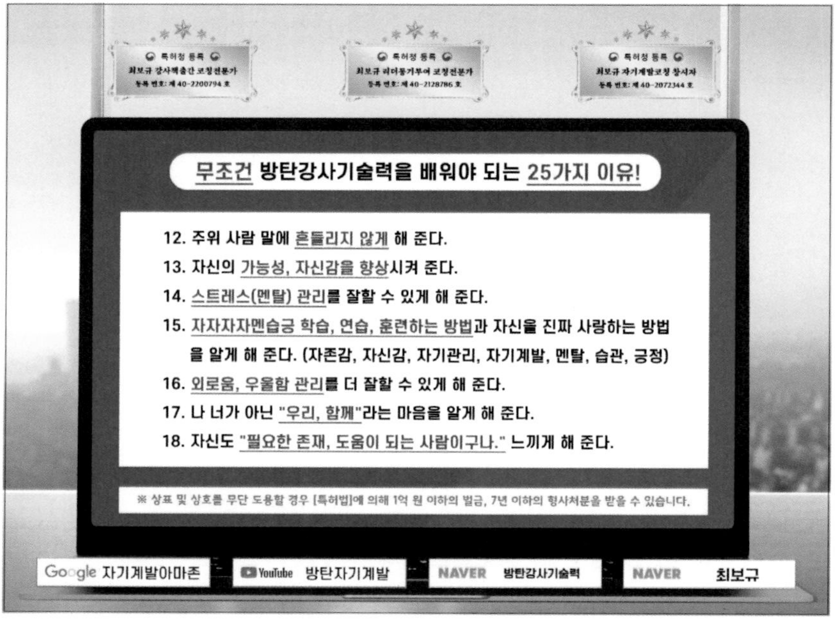
특허청 등록
최보규 강사책출간 코칭전문가
등록 번호: 제 40-2200794 호
특허청 등록
최보규 리더동기부여 코칭전문가
등록 번호: 제 40-2128786 호
특허청 등록
최보규 자기계발코칭 창시자
등록 번호: 제 40-2072344 호
무조건 방탄강사기술력을 배워야 되는 25가지 이유!
12. 주위 사람 말에 흔들리지 않게 해 준다.
13. 자신의 가능성, 자신감을 향상시켜 준다.
14. 스트레스(멘탈) 관리를 잘할 수 있게 해 준다.
15. 자자자자멘습긍 학습, 연습, 훈련하는 방법과 자신을 진짜 사랑하는 방법
을 알게 해 준다. (자존감, 자신감, 자기관리, 자기계발, 멘탈, 습관, 긍정)
16. 외로움, 우울함 관리를 더 잘할 수 있게 해 준다.
17. 나 너가 아닌 "우리, 함께"라는 마음을 알게 해 준다.
18. 자신도 "필요한 존재, 도움이 되는 사람이구나." 느끼게 해 준다.
※ 상표 및 상호를 무단 도용할 경우 [특허법]에 의해 1억 원 이하의 벌금, 7년 이하의 형사처분을 받을 수 있습니다.
Google 자기계발아마존
YouTube 방탄자기계발
NAVER 방탄강사기술력
NAVER 최보규

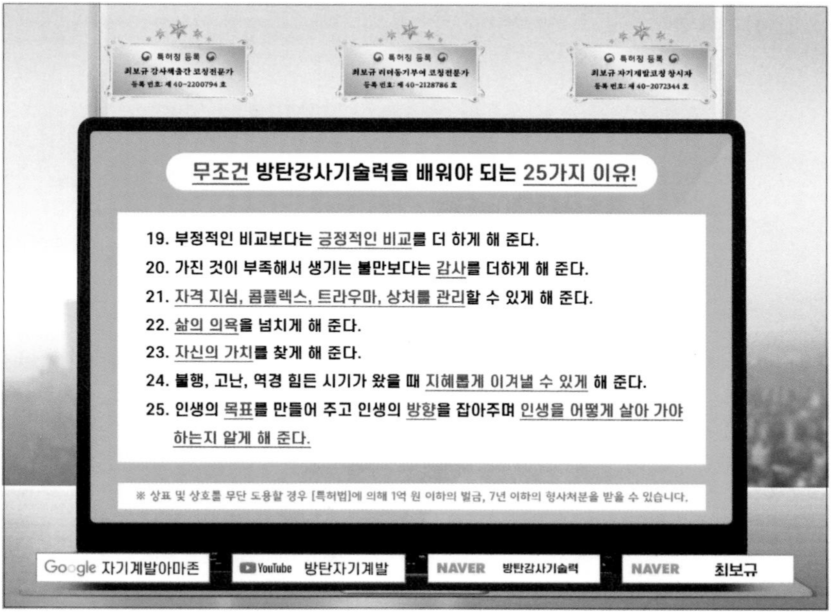
특허청 등록
최보규 강사책출간 코칭전문가
등록 번호: 제 40-2200794 호
특허청 등록
최보규 리더동기부여 코칭전문가
등록 번호: 제 40-2128786 호
특허청 등록
최보규 자기계발코칭 창시자
등록 번호: 제 40-2072344 호
무조건 방탄강사기술력을 배워야 되는 25가지 이유!
19. 부정적인 비교보다는 긍정적인 비교를 더 하게 해 준다.
20. 가진 것이 부족해서 생기는 불만보다는 감사를 더하게 해 준다.
21. 자격 지심, 콤플렉스, 트라우마, 상처를 관리할 수 있게 해 준다.
22. 삶의 의욕을 넘치게 해 준다.
23. 자신의 가치를 찾게 해 준다.
24. 불행, 고난, 역경 힘든 시기가 왔을 때 지혜롭게 이겨낼 수 있게 해 준다.
25. 인생의 목표를 만들어 주고 인생의 방향을 잡아주며 인생을 어떻게 살아 가야 하는지 알게 해 준다.
※ 상표 및 상호를 무단 도용할 경우 [특허법]에 의해 1억 원 이하의 벌금, 7년 이하의 형사처분을 받을 수 있습니다.
Google 자기계발아마존
YouTube 방탄자기계발
NAVER 방탄강사기술력
NAVER 최보규

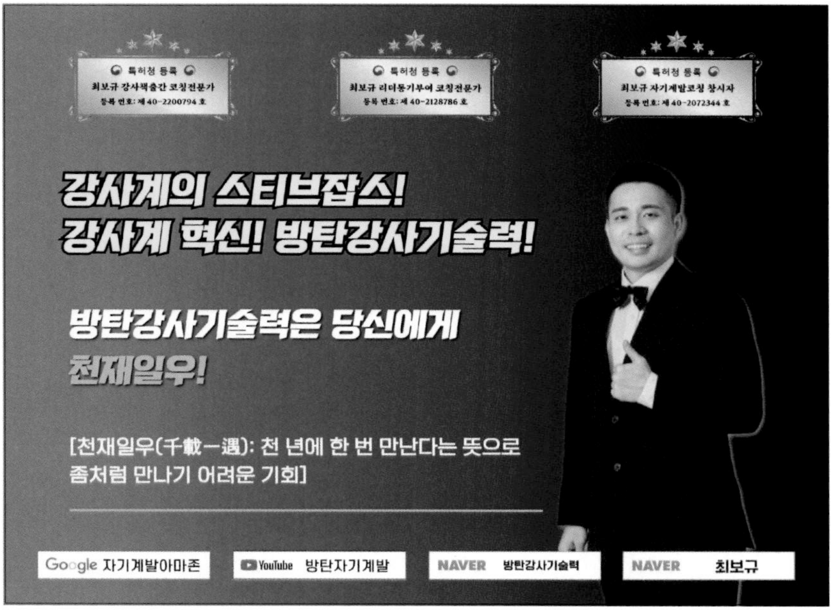
특허청 등록
최보규 강사책출간 코칭전문가
등록 번호: 제 40-2200794 호
특허청 등록
최보규 리더동기부여 코칭전문가
등록 번호: 제 40-2128786 호
특허청 등록
최보규 자기계발코칭 창시자
등록 번호: 제 40-2072344 호
강사계의 스티브잡스!
강사계 혁신! 방탄강사기술력!
방탄강사기술력은 당신에게
천재일우!
[천재일우(千載一遇): 천 년에 한 번 만난다는 뜻으로
좀처럼 만나기 어려운 기회]
Google 자기계발아마존
YouTube 방탄자기계발
NAVER 방탄강사기술력
NAVER 최보규

방탄강사기술력을 무조건 배워야 되는 25가지 이유

강사는 누구나 한다. 다만
강사 비수기 5개월은 아무나 극복하지 못한다.

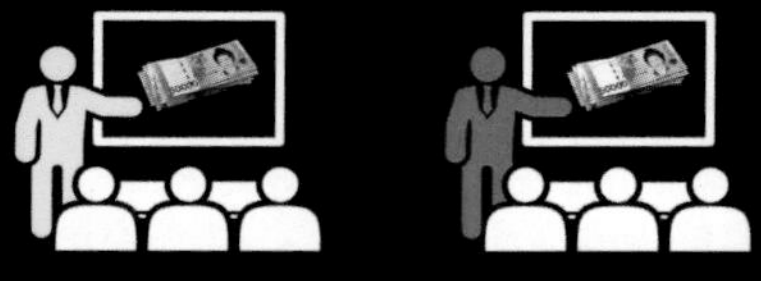

돈을 버는 강사! 돈을 못 버는 강사!

20,000명 심리 상담, 코칭으로
알게 된 강사 비수기 극복 방법!
세계 최초 오픈!
ONLY ONE
방탄강사
기술력

방탄강사기술력
커피숍에서 지인과 대화 중에도 돈이 입금되는 시스템?
자고 있는데 돈을 버는 시스템?
여행 중에도 돈이 입금되는 시스템?
사무실, 직원이 필요 없는 시스템?
건물주처럼 월세가 입금되는 시스템?
집에서 댕댕이와 휴식하고 있는데 돈이 입금되는 시스템?
방탄강사기술력은
강사 비수기 극복, 수입 창출만 하는
기술력이 아니다.
"당신은 제가 좋은 사람이 되고
싶도록 만들어요." 말을 들을 수 있는
강사 인재를 양성하는 기술력이다!
Google 자기계발아마존
YouTube 방탄자기계발
NAVER 방탄강사기술력
NAVER 최보규

당신의 인생을 change 해줄 방탄강사기술력!
특허청 등록
최보규 자기계발코칭 창시자
등록 번호: 제 40-2072344 호
특허청 등록
최보규 강사책출간 코칭전문가
등록 번호: 제 40-2200794 호
특허청 등록
최보규 리더동기부여 코칭전문가
등록 번호: 제 40-2128786 호
방탄강사기술력
Google 자기계발아마존
YouTube 방탄자기계발
NAVER 방탄강사기술력
NAVER 최보규

기업들 희망퇴직 만 40세부터... 희망퇴직 나이 73세이고 대한민국 현실 은퇴 나이 49세! 20대 은퇴 예정자? 30대 은퇴 확정자? 40대 은퇴 위험군?

노벨상 받은 사람, 하버드 대학교 교수, 은퇴 전문가, 노후 전문가들 1,000명 이면 1,000명이 말하는 것은 최고의 은퇴 준비, 노후 준비는 100세까지 현역을 하는 것이다. 왜 가지고 있는 경력을 썩히고 있는가? 쌓은 경력은 사직, 퇴직, 은퇴... 하면 인정해 주지 않는 현실 속에서 쌓은 경력으로 100세까지 지속할 수 있는 JOB이 있다면? 나이 제한 없이 할 수 있는 JOB이 있다면?

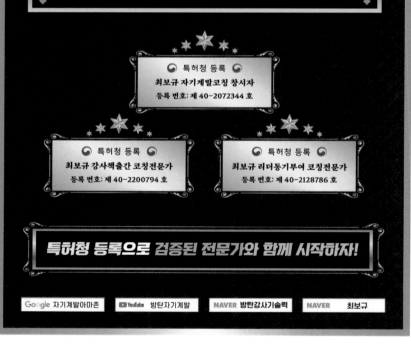

특허청 등록
최보규 자기계발코칭 창시자
등록 번호: 제 40-2072344 호

특허청 등록
최보규 강사책출간 코칭전문가
등록 번호: 제 40-2200794 호

특허청 등록
최보규 리더동기부여 코칭전문가
등록 번호: 제 40-2128786 호

특허청 등록으로 검증된 전문가와 함께 시작하자!

Google 자기계발아마존 | YouTube 방탄자기계발 | NAVER 방탄강사기술력 | NAVER 최보규

한 분야 전문성으로 힘든 시대다. 이제는 포트폴리오 커리어 시대다. (포트폴리오 커리어: 한 분야 전문성 외 다수에 전문성이 있는 사람) 자신 경력을 왜 썩히고 있는가! 자신 경력을 활용해서 6가지 수입을 발생시킬 수 있는 방탄강사기술력! 언제까지 몸(노동)으로 일할 것인가? 자신 경력이 일하게 하자! 자신 콘텐츠가 일하게 하자! 시스템이 일하게 하자!

★ ★ ★ ★ ★

직장은 자신 인생을 책임져 주지 않지만
방탄강사기술력은 자신 인생을 책임져 준다.
직장은 자신을 배신하지만
방탄강기술력은 자신을 배신하지 않는다.

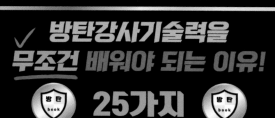

방탄강사기술력을 무조건 배워야 되는 이유! 25가지

1 스펙, 인맥, 돈, 외모... 현실 기준에 미치지 못하는 사람에게도 잘될 수 있는 기회를 준다.

2 자신 분야 제2수입, 제3수입을 만들어 준다.

3 현실 은퇴 나이 49세! 앞으로의 걱정, 고민, 은퇴, 노후를 해결해 준다.

4 자신 분야 비수기 없는 시스템을 만들어 준다.

5 한 분야 전문성으로는 힘든 시대! 일할 때 외에는 쓸모없는 경력, 스펙을 수입 창출할 수 있게 연결시켜 준다.

✓ 방탄강사기술력을 무조건 배워야 되는 이유! 25가지

6 | 커피숍에서 지인과 대화 중에도 돈이 입금되는 시스템을 만들어 준다.

7 | 자고 있는데 돈이 입금되는 시스템을 만들어 준다.

8 | 여행 중에도 돈이 입금되는 시스템을 만들어 준다.

9 | (무인 시스템) 사무실, 직원이 필요 없는 시스템을 만들어 준다.

10 | (온라인 건물주) 건물주처럼 월세가 입금되는 시스템을 만들어 준다.

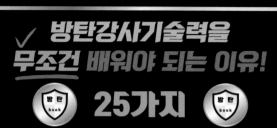

✓ 방탄강사기술력을 무조건 배워야 되는 이유! 25가지

11	집에서 댕댕이와 휴식하고 있는데 돈이 입금되는 시스템을 만들어 준다.
12	주위 사람 말에 흔들리지 않게 해 준다.
13	자신의 가능성, 자신감을 향상시켜 준다.
14	스트레스(멘탈) 관리를 잘할 수 있게 해 준다.
15	자자자자멘습긍 학습, 연습, 훈련하는 방법과 자신을 진짜 사랑하는 방법 을 알게 해 준다. (자존감, 자신감, 자기관리, 자기계발, 멘탈, 습관, 긍정)

방탄강사기술력을 무조건 배워야 되는 이유! 25가지

16	외로움, 우울함 관리를 더 잘할 수 있게 해 준다.
17	나 너가 아닌 "우리, 함께"라는 마음을 알게 해 준다.
18	자신도 "필요한 존재, 도움이 되는 사람이구나." 느끼게 해 준다.
19	부정적인 비교보다는 긍정적인 비교를 더 하게 해 준다.
20	가진 것이 부족해서 생기는 불만보다는 감사를 더하게 해 준다.

방탄강사기술력을 무조건 배워야 되는 이유! 25가지

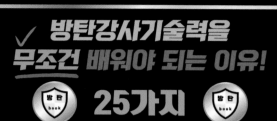

21 자격 지심, 콤플렉스, 트라우마, 상처를 관리할 수 있게 해 준다.

22 삶의 의욕을 넘치게 해 준다.

23 자신의 가치를 찾게 해 준다.

24 불행, 고난, 역경 힘든 시기가 왔을 때 지혜롭게 이겨낼 수 있게 해 준다.

25 인생의 목표를 만들어 주고 인생의 방향을 잡아주며 인생을 어떻게 살아 가야 하는지 알게 해 준다.

강사 비수기 5개월 목차

강사는 누구나 한다. 다만
강사 비수기 5개월은 아무나 극복하지 못한다.

돈을 버는 강사! 돈을 못 버는 강사!

20,000명 심리 상담, 코칭으로
알게 된 강사 비수기 극복 방법!
세계 최초 오픈!

ONLY ONE
방탄강사
기술력

목차

방탄강사기술력
커피숍에서 지인과 대화 중에도 돈이 입금되는 시스템?
자고 있는데 돈을 버는 시스템?
여행 중에도 돈이 입금되는 시스템?
사무실, 직원이 필요 없는 시스템?
건물주처럼 월세가 입금되는 시스템?
집에서 댕댕이와 휴식하고 있는데 돈이 입금되는 시스템?
방탄강사기술력은
강사 비수기 극복, 수입 창출만 하는
기술력이 아니다.
"당신은 제가 좋은 사람이 되고
싶도록 만들어요." 말을 들을 수 있는
강사 인재를 양성하는 기술력이다!
Google 자기계발아마존
YouTube 방탄자기계발
NAVER 방탄강사기술력
NAVER 최보규

2장. 강사 비수기 5개월을 극복하기 위한 방탄강사기술력 6가지 시스템

강사는 누구나 한다. 다만
강사 비수기 5개월은 아무나 극복하지 못한다.

돈을 버는 강사! 돈을 못 버는 강사!

20,000명 심리 상담, 코칭으로
알게 된 강사 비수기 극복 방법!
세계 최초 오픈!
ONLY ONE
방탄강사
기술력

1. 포트폴리오 커리어 강사 리더는 왜! 작가 자기계발을 해야 하는가?

강사 리더는 자신 분야의 전문가다. 짝퉁 전문가는 매뉴얼, 시스템이 머리에만 있어 말로만 한다. 명품 전문가는 매뉴얼, 시스템이 자료화(전문 서적)되어 있다. 강사 리더의 경력은 스펙이 아니다. 강사 리더가 경력을 자료화(책 출간)할 때 강력한 스펙이 된다!

날개 표지 디자인 샘플

날개 표지 이미지

300만원 동기부여 강의
세상에는 3부류에
동기부여를 배우는 사람이 있다!
'세계 최초' 동기부여 초고속 충전!
최보규 동기부여 일타강사
BOOKK
최보규

출간한 책 이미지

날개 표지 디자인 샘플

날개 표지 이미지

⑤ ④ ③ ② ①

날개 표지 사이즈

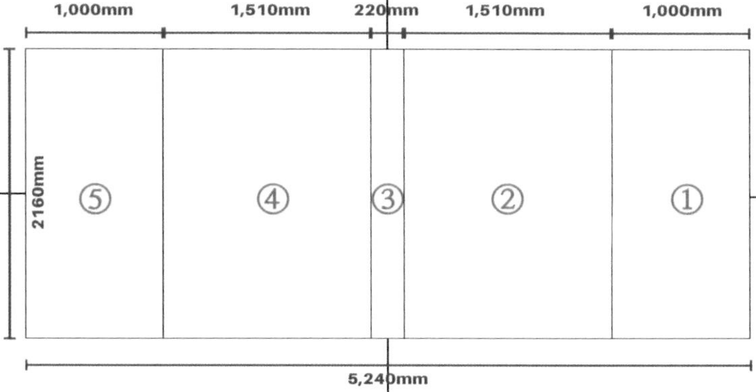

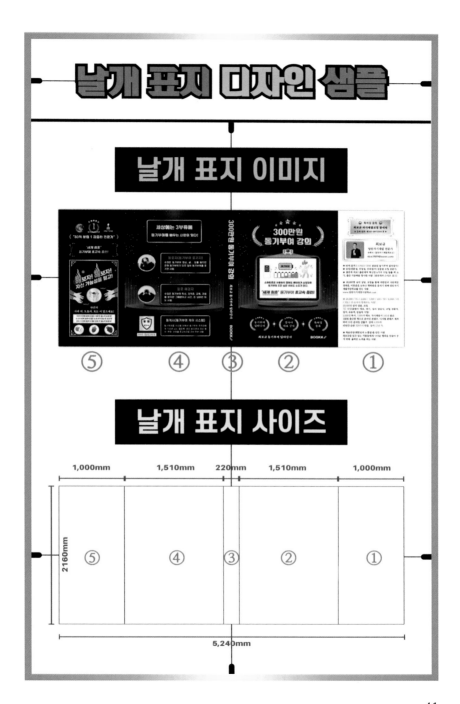

책 앞면 날개 표지

특허청 등록

최보규 자기계발코칭 창시자

★ 등록 번호: 제 40-2072344 호 ★

최보규
방탄자기계발 전문가
유튜브 〈방탄자기계발최보규〉
nice5889@naver.com

★ 80억 분의 1 ONLY ONE 검증된 동기부여 일타강사!
★ 삼성(전문성, 진정성, 신뢰성)이 검증된 코칭 전문가.
★ 출판계 최초! 출판계의 혁신인 6가지 수입 창출 책 쓰기, 출간 기술력을 창시한 사람. [출판계의 스티브 잡스]

★ 20,000명 심리 상담, 코칭을 통해 대한민국 극단적인 선택률, 이혼율을 낮추고 행복률을 올리기 위해 방탄자기계발사관학교를 만든 사람.
www.방탄자기계발사관학교.com

★ 20,000 / 7G / 2,000 / 7,000 / 100 / 50 / 6,000 / 45 / 320 / 15 숫자가 말해주는 사람!
20,000명 심리 상담, 코칭.
7G 직업(출판사 대표, 작가, 심리 상담사, 코칭 전문가, 강사, 유튜버, 한집의 가장)
2,000권 독서. 7,000개 메모. 자기계발서 100권 출간.
100권 출간한 책으로 온라인 콘텐츠, 디지털 콘텐츠 제작하여 50층 온라인 건물주. 강의 6,000회.
45년간 습관 320가지 만듦. 강사 15년 차.

★ 최보규상(대한민국 노벨상)을 만든 사람.
최보규를 알고 있는 사람들에게 나다운 행복을 만들어 주기 위해 올바른 노력을 하는 사람.

책 앞면 표지

300만원
동기부여 강의
동기부여
UP
스마트폰은 사용하지 않아도 배터리가 소모되듯
동기부여 또한 숨만 쉬어도 소모가 된다.
"세계 최초" 동기부여 초고속 충전!
동기부여 일타강사
강사야 대표 강사
특허청 등록
최보규 동기부여 일타강사
BOOKK

책등

300만원 동기부여 강의

최보규 동기부여 일타강사

BOOKK

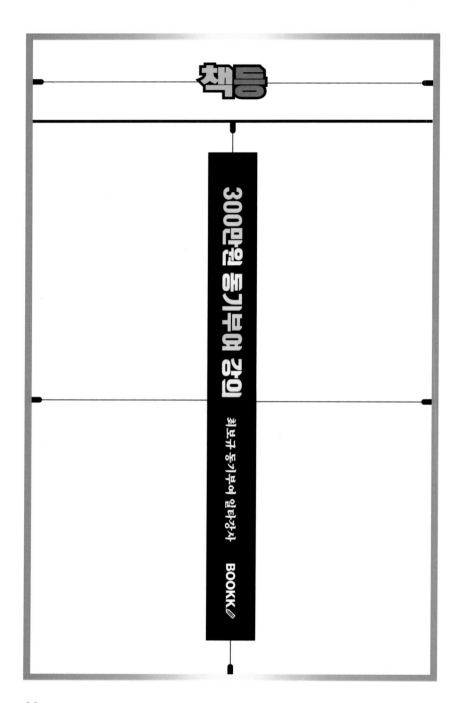

책 뒷면 표지

세상에는 3부류에
동기부여를 배우는 사람이 있다!
동포자(동기부여 포기자)
수많은 동기부여 영상, 글... 등을 봤지만 전혀 동기부여가 되지 않아 동기부여를 포기한 사람.
동포 예정자
수많은 동기부여 독서, 자격증, 교육, 코칭을 받지만 그때뿐이고 시간, 돈 낭비만 하는 사람.
방 탄
동기부여
NAVER 방탄동기부여
동케시(동기부여 케어 시스템)
동기부여를 시스템 안에서 동기부여 주치의에게 150년 a/s, 피드백, 관리 받으면서 자신 분야 변화, 성장을 초고속으로 준비 하는 사람.

책 뒷면 날개 표지

1
ONLY ONE
"80억 분의 1 검증된 전문가"
"세계 최초"
동기부여 초고속 충전!
해보자! 해보자!
자신 가능성을 믿고!
해보자!
해보자!
자신의
사과 씨, 도토리, 포도 씨 믿으세요!
사과 씨 안에 얼마나 많은 사과가 있는지 모른다!
도토리 안에 얼마나 많은 도토리가 있는지 모른다!
포도 씨 안에 얼마나 많은 포도가 있는지 모른다!

날개 표지 디자인 샘플

날개 표지 이미지

⑤ ④ ③ ② ①

날개 표지 사이즈

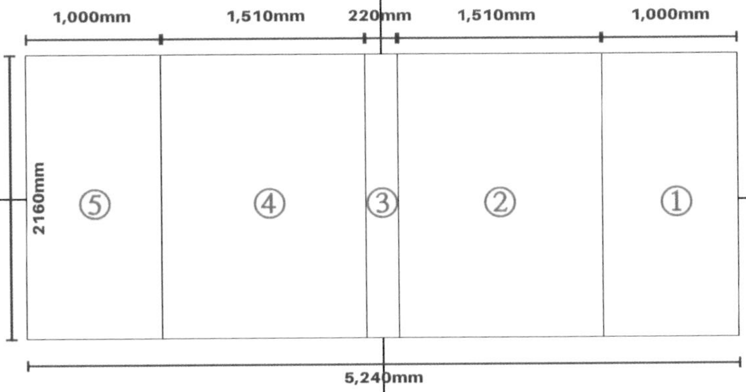

책 앞면 날개 표지 디자인 설명

④

③

⑤

⑫ 특허청 등록

최보규 자기계발코칭 창시자

★ 등록 번호: 제 40-2072344 호 ★

⑥

⑬ 최보규

방탄자기계발 전문가

유튜브 <방탄자기계발최보규>

nice5889@naver.com

⑦

⑧

★ 80억 분의 1 ONLY ONE 검증된 동기부여 일타강사!
★ 삼성(전문성, 진정성, 신뢰성)이 검증된 코칭 전문가.
★ 출판계 최초! 출판계의 혁신인 6가지 수입 창출 책 쓰기, 출간 기술력을 창시한 사람. [출판계의 스티브 잡스]

⑭

★ 20,000명 심리 상담, 코칭을 통해 대한민국 극단적인 선택률, 이혼율을 낮추고 행복률을 올리기 위해 방탄자기계발사관학교를 만든 사람.
www.방탄자기계발사관학교.com

⑩ ⑪

★ 20,000 / 7G / 2,000 / 7,000 / 100 / 50 / 6,000 / 45 / 320 / 15 숫자가 말해주는 사람!
20,000명 심리 상담, 코칭.
7G 직업(출판사 대표, 작가, 심리 상담사, 코칭 전문가, 강사, 유튜버, 한집의 가장)
2,000권 독서. 7,000개 메모. 자기계발서 100권 출간.
100권 출간한 책으로 온라인 콘텐츠, 디지털 콘텐츠 제작하여 50층 온라인 건물주. 강의 6,000회.
45년간 습관 320가지 만듦. 강사 15년 차.

★ 최보규상(대한민국 노벨상)을 만든 사람.
최보규를 알고 있는 사람들에게 나다운 행복을 만들어 주기 위해 올바른 노력을 하는 사람.

⑨

①

②

- 2) 책 앞면 날개 표지 디자인 설명

① 책날개 기본 A5 사이즈 - 세로 216mm
② 책날개 - 가로 100mm
③ 인쇄 할 때 위, 아래 절단선 - 3mm
④ 인쇄 할 때 절단선 - 3mm
⑤ 위에서부터 - 10mm
⑥ 위에서부터 - 44mm
⑦ 위에서부터 - 80mm
⑧ 위에서부터 - 84mm
⑨ 아래에서부터 - 10mm
⑩ 왼쪽에서부터 - 7mm
⑪ 오른쪽에서부터 - 9mm
⑫ 저자, 책이 검증되어 법의 보호를 받고 있다는 것을 증명하는 디자인. (자신이 가지고 있는 타이틀 중에 강력하게 어필할 수 있는 내용이면 좋다.)
⑬ 저자 사진, 이름, 전문 분야 타이틀, 유튜브, 메일... 등. (자신과 직접적으로 소통할 수 있는 타이틀)
⑭ 저자 소개, 책의 가치, 내공, 값어치를 어필할 수 있는 소개 글.

책 앞면 표지 디자인 설명

③
⑫ 300만원
동기부여 강의
⑤
⑧
동기부여
UP
스마트폰은 사용하지 않아도 배터리가 소모되듯
동기부여 또한 숨만 쉬어도 소모가 된다.
"세계 최초" 동기부여 초고속 충전!
① ②
⑬
⑥
⑭ ⑨ 동기부여 일타강사
강사야 대표 강사
특허청 등록
⑦
⑩ 최보규 동기부여 일타강사
⑪ BOOKK
④

- 3) 책 앞면 표지 디자인 설명

책 앞면 표지 너비 1540PX * 높이 2160PX

(부크크출판사 A5 규격 148+6(제단 선) * 210+6(제단 선)= 너비 154mm * 높이 216mm)

#. 효율적인 표지 날개, 표지 작업과 전자책(PDF) 표지 작업을 위해 너비, 높이를 픽셀(PX)로 작업했다. 픽셀이 아닌 mm로 작업해도 된다.

#. Pixrl(픽셀): 유튜브 썸네일, 상세페이지, 커뮤니티 게시판 등.

#. mm또는 cm: 명함, 라벨, 액자, 머그컵, 현수막 등.

①번, ②번: 핵심 디자인을 가운데 배치했을 때 좌, 우 여택을 주어 안정적인 시각적 효과를 주기 위한 기본 좌, 우 100PX이다. (디자이너마다 다르니 참고)

③번: 위에서부터 150PX (책의 가장 위쪽과 시작하는 디자인과의 안정적인 시각적 효과를 주기 위한 여유 공간)

④번: 위에서부터 120PX (책의 가장 밑쪽과 저자, 출판사 로고와의 안정적인 시각적 효과를 주기 위한 여유 공간)

⑤번: 위에서부터 520PX (책 제목과 제목의 디자인을 안정적인 시각적 효과를 주기 위한 위치)

⑥번: 밑에서부터 440PX (책의 가치를 어필하기 하고 디자인을 안정적인 시각적 효과를 주기 위한 위치)

⑦번: 밑에서부터 215PX (책의 가치를 어필하기 하고 디자인을 안정적인 시각적 효과를 주기 위한 위치)

⑧번: 핵심 존. 책 표지 디자인에서 주인공이라고 느낄 수 있게 디자인을 해줘야 하는 곳이다. 《300만원 동기부여 강의》 책 제목에서 가장 중요한 콘셉트 디자인이 무엇일 거 같은가? '300만 원? 동기부여? 강의?' 이 3가지를 다 어필할 수 있는 디자인이면 좋다. 그 중에서도 핵심 디자인 콘셉트는 강의다.

강의 콘셉트를 상징하고 어필할 수 있는 빔 프로젝터와 스크린을 활용하여 책을 볼 수 있는 궁금증 유발, 호기심 유발을 할 수 있는 핵심 디자인과 핵심 문구를 만들어야 한다. "기존에 알고 있는 동기부여 책과 차원이 다를 거 같다. 무조건 책 읽어 봐야겠다."라는 느낌이 들 수 있는 핵심 디자인을 해야 한다.
《300만원 동기부여 강의》 이 책에 모든 것이 압축되어 알 수 있는 곳이고 주인공이기에 가장 신경을 써야 한다.

#. 화장으로 비유를 하면 외출할 때 하는 가벼운 화장 기법이 아닌 웨딩 촬영할 때 화장하는 풀메이크업을 해야 된다.

⑨번: **책의 가치, 내공, 값어치를 어필하기 위한 디자인이다.** 《300만원 동기부여 강의》 책의 가치, 내공, 값어치가 간접적으로 어필이 되어야 한다. 직접적으로 어필은 책 소개에서 하면 된다.

#. 책의 가치, 내공, 값어치를 어필하는 다른 예시를 참고하자. 동기부여 사용설명서, 직장인 필독 도서, 리더 필독 도서, 동기부여 지침서, 자기계발 지침서, 동기부여 바이블... 등

종이책 표지 디자인 설명

③ 150PX
⑫ 300만원
동기부여 강의
⑤ 560PX
⑧
동기부여
UP
스마트폰은 사용하지 않아도 배터리가 소모되듯
동기부여 또한 숨만 쉬어도 소모가 된다.
"세계 최초" 동기부여 초고속 충전!
① 100PX
② 100PX
⑬
⑥ 440PX
⑭
⑨ 동기부여 일타강사
강사야 대표 강사
특허청 등록
⑦ 215PX
⑩ 최보규 동기부여 일타강사
⑪ BOOKK
④ 120PX

⑩번: 저자 이름. 저자 이름 보다 저자가 어떤 전문가인지를 알리는 명칭을 쓰면 더 효과적이다.

⑪번: 출판사 로고. 부크크 홈페이지에서 '자주 묻는 질문' 으로 들어가면 도서를 클릭하면 로고 파일 다운로드가 있다.

⑫번: 책 제목. ⑧번 핵심 존 디자인 좌우 사이즈를 경계로 제목을 디자인한다. 핵심 존 디자인 다음으로 잘 보여야 할 것이 제목 디자인이다. 제목이 주인공일 거 같지만 표지 전체적인 디자인에서 핵심 디자인 어필이 되어야만 제목이 가지고 있는 뜻의 의미가 극대화 된다. (핵심 존 좌우 간격 260PX, 디자인마다 가격이 다를 수 있다.)

한번 생각해 보자. 제목이 화려한데 핵심 디자인이 제목을 받쳐주지 못하면 책 제목의 화려함은 장점이 아닌 단점이 되어 버린다. 지금 시대 평균적인 사람들의 시각적인 심리를 잘 읽어야 한다. 하루가 멀다 하고 대중매체, 유튜브, 인스타그램, SNS 등으로 인해서 어마어마하게 화려한 영상, 이미지를 보고 있다. 수준이 높아진 시각적인 심리 상황에서 일단 디자인이 화려하지 않으면 어필이 되지 않는다는 것이다. 다음으로 나오는《300만원 동기부여 강의》책 표지의 화려하지 않는 책 표지 버전과 화려한 책 표지 버전 비교한 것을 보면 좀 더 이해가 될 것이다.

표지 비교

300만원
동기부여 강의
동기부여
UP
동기부여 일타강사
강사야 대표 강사
특허청 등록
최보규 동기부여 일타강사
BOOKK

표지 비교

300만원
동기부여 강의
UP
동기부여
스마트폰은 사용하지 않아도 배터리가 소모되듯
동기부여 또한 숨만 쉬어도 소모가 된다.
"세계 최초" 동기부여 초고속 충전!
동기부여 일타강사
강사야 대표 강사
특허청 등록
최보규 동기부여 일타강사
BOOKK

종이책 표지 디자인 설명
③ 150PX
⑫ 300만원
동기부여 강의
⑤ 560PX
⑧
동기부여
UP
스마트폰은 사용하지 않아도 배터리가 소모되듯
동기부여 또한 숨만 쉬어도 소모가 된다.
"세계 최초" 동기부여 초고속 충전!
① 100PX
② 100PX
⑬
⑥ 440PX
⑭
⑨ 동기부여 일타강사
강사야 대표 강사
특허청 등록
⑦ 215PX
⑩ 최보규 동기부여 일타강사
⑪ BOOKK
④ 120PX

⑬번: 배경 이미지. 《300만원 동기부여 강의》 책은 강사가 강의하는 콘셉트이기에 강단을 화려하면서도 은은한 무대 사진으로 디자인했다. 배경 이미지가 화려해버리면 주인공이 죽는다. 배경 이미지는 제목 다음으로 조연배우다.

⑭번: 바탕색. 배경 이미지와 어우릴 수 있는 검정색으로 했다.

책등 표지 디자인 설명

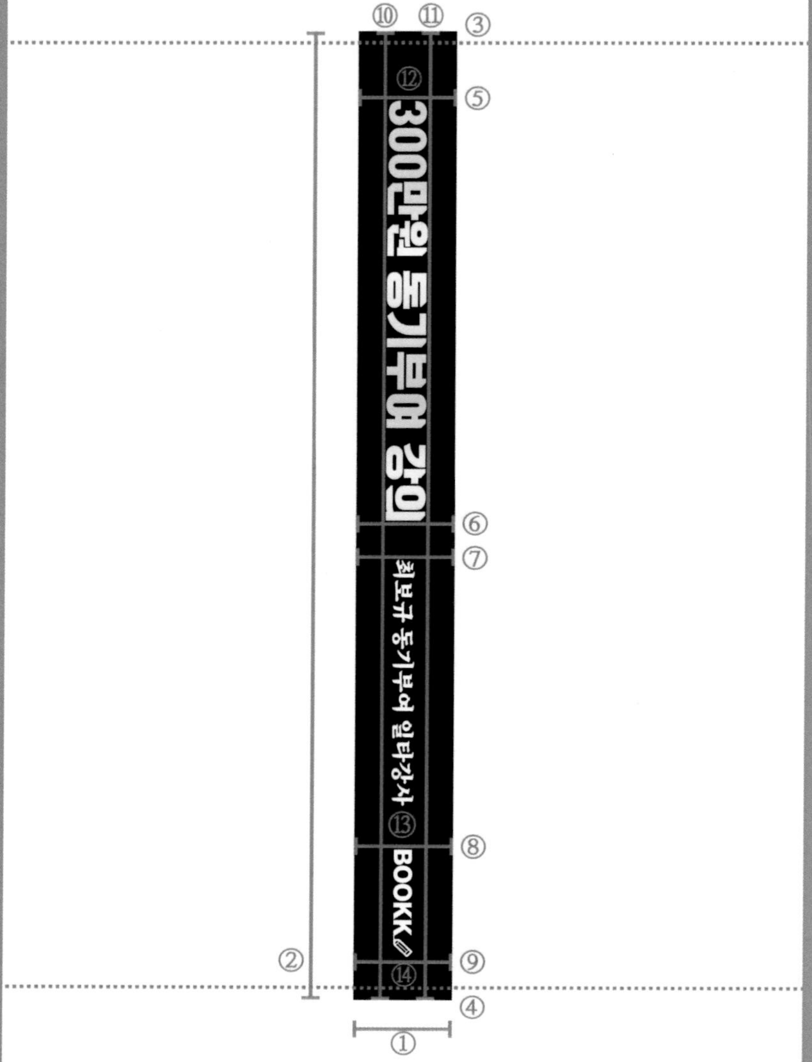

- 4) 책등 표지 디자인 설명

① 책등 가로 사이즈는 책 페이지에 따라 다르다.

부크크출판사 종이책 만들기 1단계에 있는 도서 형태에서 장수를 입력하면 두께가 자동으로 설정된다.

예)100P = 7.8mm

《300만원 동기부여 강의》 책은 354P다.

354P = 21.07mm / 22mm로 한다.

#. 예시) 23.13mm 이면 소수점 뒷자리는 올림으로 24mm 로 디자인.

초고 → 원고 → 퇴고 → 탈고가 끝나면 최종 책 페이지가 나온다. 페이지 숫자를 입력하면 자동으로 책 두께가 계산 되어서 알 수 있다.

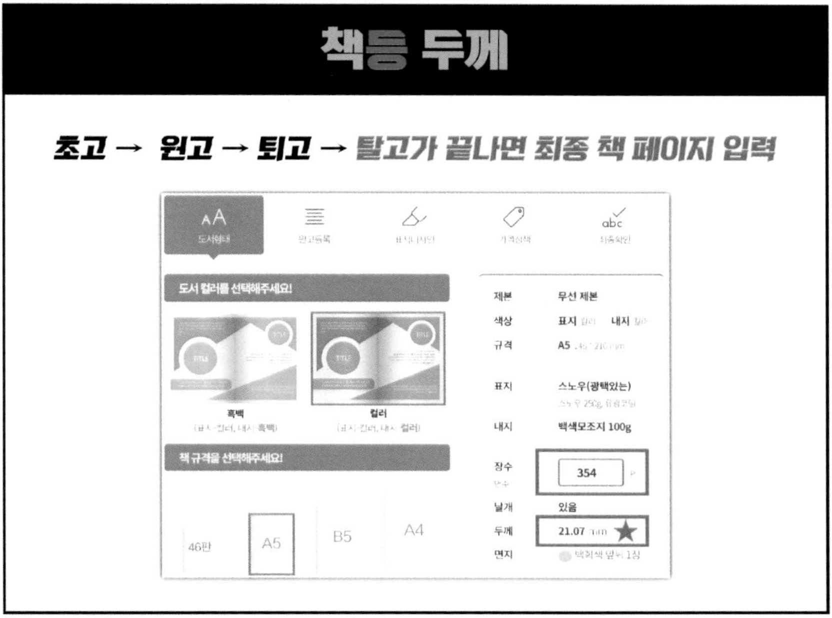

책등 표지 디자인 설명

② 책 등 A5 사이즈 - 세로 216mm

③ 인쇄할 때 위 절단선 - 3mm

④ 인쇄할 때 아래 절단선 - 3mm

⑤ 위에서부터 - 14mm

⑥ 위에서부터 - 107mm

⑦ 아래에서부터 - 100mm

⑧ 아래에서부터 - 34mm

⑨ 아래에서부터 - 10mm

⑩ 왼쪽에서부터 - 7mm

⑪ 오른쪽에서부터 - 7mm

⑫ 제목

⑬ 저자

⑭ 출판사 로고

책 뒷면 표지 디자인 설명

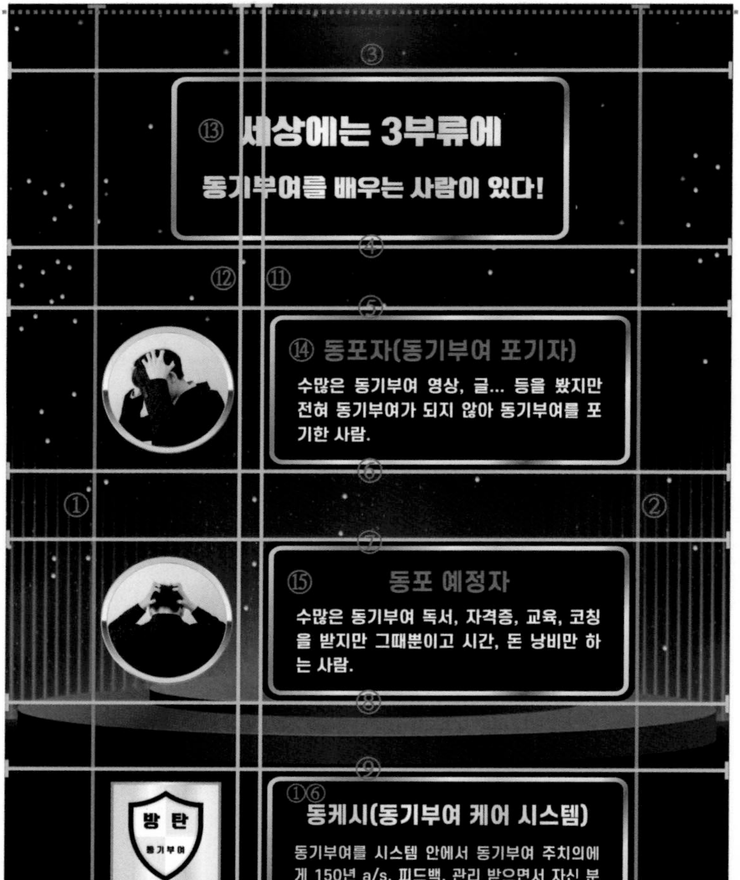
③
⑬ 세상에는 3부류에
동기부여를 배우는 사람이 있다!
④
⑫ ⑪
⑤
⑭ 동포자(동기부여 포기자)
수많은 동기부여 영상, 글... 등을 봤지만 전혀 동기부여가 되지 않아 동기부여를 포기한 사람.
⑥
① ②
⑦
⑮ 동포 예정자
수많은 동기부여 독서, 자격증, 교육, 코칭을 받지만 그때뿐이고 시간, 돈 낭비만 하는 사람.
⑧
⑨
방탄 동기부여
NAVER 방탄동기부여
⑯
동케시(동기부여 케어 시스템)
동기부여를 시스템 안에서 동기부여 주치의에게 150년 a/s, 피드백, 관리 받으면서 자신 분야 변화, 성장을 초고속으로 준비 하는 사람.
⑩

- 5) 책 뒷면 표지 디자인 설명

#. 부크크출판사 A5 규격 너비 154mm * 높이 216mm 위, 아래 점선은 인쇄할 때 제단 선이다.

①번, ②번: 핵심 디자인을 가운데 배치했을 때 좌, 우 여택을 주어 안정적인 시각적 효과를 주기 위한 기본 좌, 우 18mm이다. (디자이너마다 다르니 참고)

③ 위에서부터 - 15mm

④ 위에서부터 - 52mm

⑤ 위에서부터 - 66mm

⑥ 위에서부터 - 101mm

⑦ 아래에서부터 - 100mm

⑧ 아래에서부터 - 65mm

⑨ 아래에서부터 - 50mm

⑩ 아래에서부터 - 15mm

⑪ 왼쪽에서부터 - 50mm

⑫ 왼쪽에서부터 - 53mm

⑬ 뒷면 표지의 핵심 문구 - 세상에는 3부류에 동기부여를 배우는 사람이 있다. (20,000명 심리 상담, 코칭하면서 알게 된 데이터)

⑭ 뒷면 표지의 핵심 문구 동포자 설명 - 동포자(동기부여 포기자): 수많은 동기부여 영상, 글... 등을 봤지만 전혀 동기부여가 되지 않아 동기부여를 포기한 사람.

⑮ 뒷면 표지의 핵심 문구 동포 예정자 설명 - 동포 예

정자: 수많은 동기부여 독서, 자격증, 교육, 코칭을 받았지만 그때뿐이고 시간, 돈 낭비만 하는 사람.
⑯ 뒷면 표지의 핵심 문구 동케시 설명 - 동케시(동기부여 케어 시스템): 동기부여를 시스템 안에서 동기부여 주치의에게 150년 a/s, 피드백, 관리 받으면서 자신 분야 변화, 성장을 초고속으로 준비하는 사람.

20,000명 심리 상담, 코칭으로 알게 된 사람들이 바라는 6가지 시스템!

1

커피숍에서 지인과 대화 중에도 돈이 입금되는 시스템?

2

자고 있는데 돈을 버는 시스템?

3

여행 중에도 돈이 입금되는 시스템?

4

사무실, 직원이 필요 없는 시스템?

5

건물주처럼 월세가 입금되는 시스템?

6

집에서 댕댕이와 휴식하고 있는데 돈이 입금되는 시스템?

세계 최초! 출판계의 혁신!
돈이 들어오는 6가지 시스템을 가능하게 하는 것이

방탄book기술력!

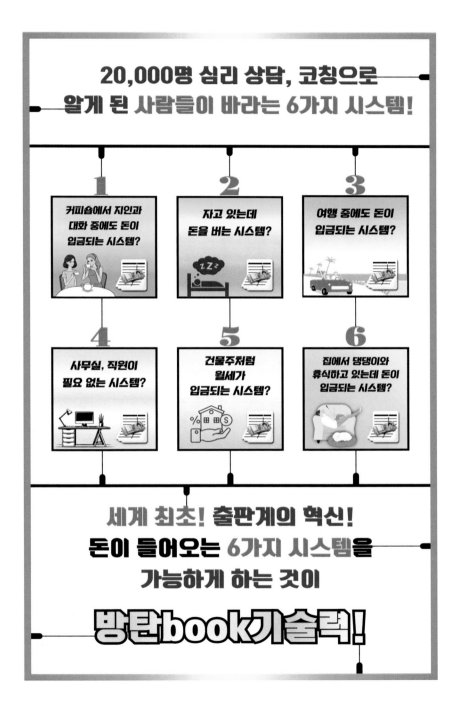

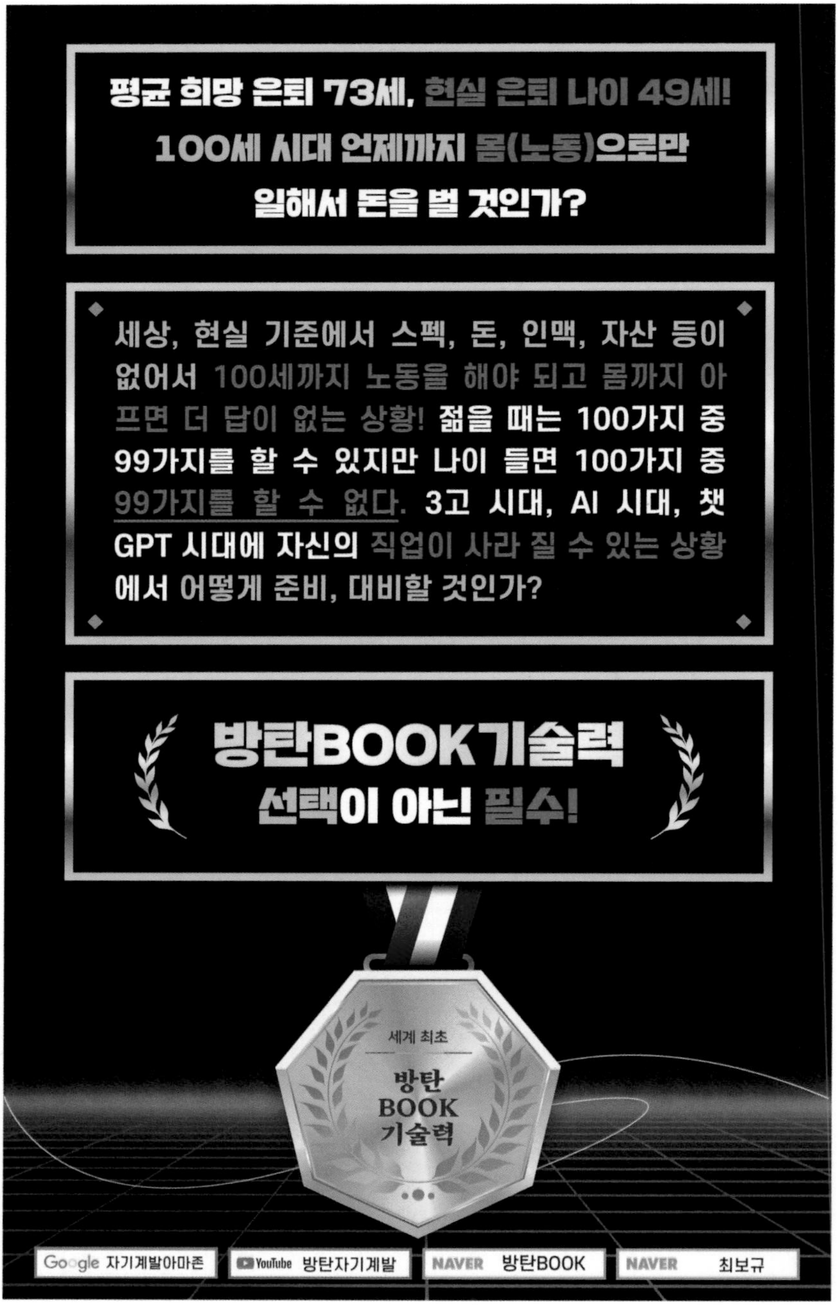
평균 희망 은퇴 73세, 현실 은퇴 나이 49세!
100세 시대 언제까지 몸(노동)으로만
일해서 돈을 벌 것인가?
세상, 현실 기준에서 스펙, 돈, 인맥, 자산 등이 없어서 100세까지 노동을 해야 되고 몸까지 아프면 더 답이 없는 상황! 젊을 때는 100가지 중 99가지를 할 수 있지만 나이 들면 100가지 중 99가지를 할 수 없다. 3고 시대, AI 시대, 챗GPT 시대에 자신의 직업이 사라 질 수 있는 상황에서 어떻게 준비, 대비할 것인가?
방탄BOOK기술력
선택이 아닌 필수!
세계 최초
방탄 BOOK 기술력
Google 자기계발아마존
YouTube 방탄자기계발
NAVER 방탄BOOK
NAVER 최보규

한 분야 전문성으로 힘든 시대다. 이제는 포트폴리오 커리어 시대다. (포트폴리오 커리어: 한 분야 전문성 외 다수에 전문성이 있는 사람) 자신 경력을 왜 썩히고 있는가! 자신 경력을 활용해서 6가지 수입을 발생시킬 수 있는 방탄book기술력! 언제까지 몸(노동)으로 일할 것인가? 자신 경력이 일하게 하자! 자신 콘텐츠가 일하게 하자! 시스템이 일하게 하자!

★ ★ ★ ★ ★

직장은 자신 인생을 책임져 주지 않지만
방탄book기술력은 자신 인생을 책임져 준다.
직장은 자신을 배신하지만
방탄book기술력은 자신을 배신하지 않는다.

책 뒷면 날개 표지 디자인 설명

- 6) 책 뒷면 날개 표지 디자인 설명

① 책날개 기본 A5 사이즈 - 세로 216mm

② 책날개 - 가로 100mm

③ 인쇄할 때 위, 아래 절단선 - 3mm

④ 인쇄할 때 절단선 - 3mm

⑤ 위에서부터 - 15mm

⑥ 위에서부터 - 46mm

⑦ 위에서부터 - 52mm

⑧ 위에서부터 - 75mm

⑨ 위에서부터 - 79mm

⑩ 아래에서부터 - 15mm

⑪ 왼쪽에서부터 - 16mm

⑫ 오른쪽에서부터 - 10mm

⑬ 기억에 남을 강력한 디자인 - "80억 분의 1 검증된 전문가" (세계에서 방탄동기부여를 할 수 있는 사람은 한 명 뿐이다.)

⑭ 차별화가 아닌 초월 - 4차 산업 시대는 4차 동기부여인 방탄동기부여로 일반 충전이 아닌 초고속 충전!

⑮ 책 뒷면 날개 표지 핵심 디자인 존 - 자신의 무한한 가능성을 끌어올려주는 방탄동기부여! 자신의 사과 씨, 도토리, 포토 씨 믿으세요! 사과 씨 안에 얼마나 많은 사과가 있는지 모른다!

도토리 안에 얼마나 많은 도토리가 있는지 모른다!

포도 씨 안에 얼마나 많은 포도가 있는지 모른다!
자신을 믿지 못하겠다면 자신을 믿어주는 최보규 방탄동기부여 창시자를 믿고 시작합시다.
시간, 경력만 채우는 노오력이 아닌 어제보다 나음, 변화, 성장, 배움으로 수입을 극대화시켜 결과를 만들어 내는 올바른 노력을 해야 한다. 올바른 노력이 방탄동기부여다.

대한민국 99%가 책 쓰기, 출간하는 방법만
교육, 코칭 한다!
6가지 수입 창출 책 쓰기, 출간 기술력을
교육, 코칭 하는 곳은 방탄book출판사뿐이다.

방법만 배우면 돈이 계속 나가지만
방탄book기술력을 배우면
돈은 계속 들어온다.

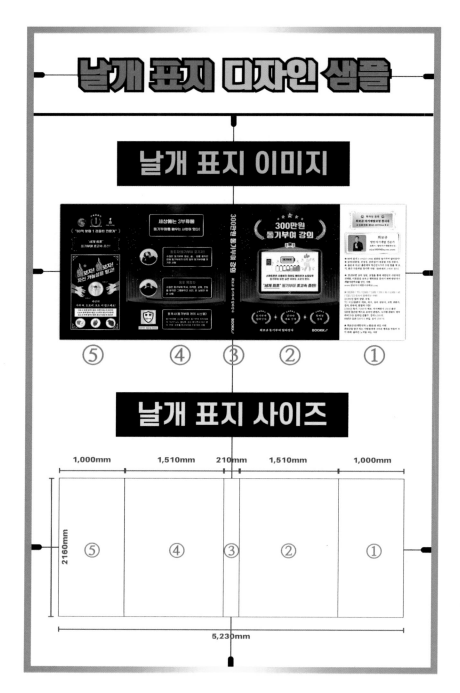

날개 표지 디자인 샘플

날개 표지 이미지

날개 표지 사이즈

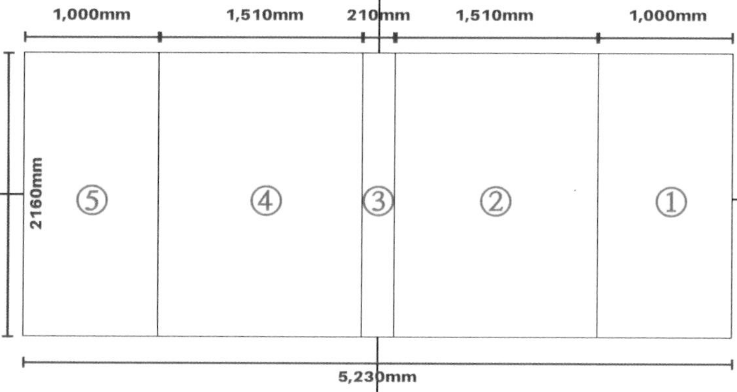

날개 표지 디자인 샘플

날개 표지 이미지

출간한 책 이미지

4차 산업 시대
4차 리더십은 방탄리더십
해보자! 해보자!
리더 가능성을 믿고!
리더의
사과 씨, 도토리, 포도 씨 믿으세요!
방탄 리더 1명이
10만 명을 변화 시킨다!
7. 방탄 리더 코칭
6. 방탄 리더 자기계발
5. 방탄 리더 행복
4. 방탄 리더 습관
3. 방탄 리더 멘탈
2. 방탄 리더 자존감
1. 방탄 리더십 본질
방탄 리더십 1
최보규 방탄리더십 창시자
방 탄
리더십
방탄리더십
업데이트!
최보규 방탄리더십 창시자
리더 필독 도서
세계 최초 리더 지침서
세계 최초 방탄리더십
최보규
방탄리더십 전문가
유튜브 〈방탄자기계발최보규〉
nice5889@naver.com
20,000명 심리 상담, 코칭을 통해 많은 사람들을 살리고 함께 울고, 웃고, 공감으로 행복을 주는 상담사. 대한민국 극단적인 선택률, 이혼율을 낮추고 행복률을 올리기 위해 방탄자기계발사관학교를 만든 사람.
직업이 7G(출판사 대표, 작가, 심리 상담사, 코칭 전문가, 강사, 유튜버, 한 집의 가장)인 사람.
4차 산업 시대에 4차 인재 양성에 힘쓰고 있는 사람
삼성(전문성, 진정성, 신뢰성)이 검증된 코칭 전문가.
세계 최초 강사 백과사전을 만든 사람.
「나다운 강사1」
세계 최초 강사 사용설명서를 만든 사람.
「나다운 강사2」
세계 최초 방탄멘탈을 만든 사람. 「나다운 방탄멘탈」
세계 최초 행복히어로를 만든 사람. 「행복히어로」
세계 최초 방탄습관을 만든 사람.
「나다운 방탄습관일록」
세계 최초 방탄자존감을 만든 사람.
「나다운 방탄 카피 사전」
「나다운 방탄자존감 명언 Ⅰ, Ⅱ」
세계 최초 방탄자기계발을 만든 사람.
「방탄자기계발 사관학교 Ⅰ, Ⅱ, Ⅲ, Ⅳ」
자기계발코칭전문가 자격증을 창시한 사람.
「자기계발코칭전문가 1, 2, 3, 4, 5, 6」
리더십코칭전문가 자격증을 창시한 사람.
「나다운 방탄리더십 1, 2, 3, 4, 5」
최보규상(대한민국 노벨상)을 만든 사람.
최보규를 알고 있는 사람들과 앞으로 만날 사람들에게 나다운 행복을 만들어 주기 위해 올바른 노력을 하는 사람.

세계최초 방탄멘탈
최보규 지음 | 295쪽 | 16,800원
하루가 멀다 하고 내 멘탈을 흔드는 세상 속
이제는 멘탈을 보호하기 위한 업데이트하자!
세계최초 강사 백과사전
최보규 지음 | 572쪽 | 30,000원
1,000개가 넘는 강의 분야, 10개가 넘는 강사 분야 그 누구도 통합시키지 못한 강사 바이블.
강사 백과사전, 강사 사용설명서
포노 사피엔스 시대!(스마트폰 시대)
4차 산업 시대! AI 시대! SNS 시대!
초고속 성장, 스마트폰으로 인해 상대적 불행
상대적 불만, 상대적 빈곤에 노출이 되어 행복을 도둑맞고 있다.
나다운 행복을 지켜줄 우주에서 유일한 행복 히어로!
세계에서 대한민국 행복률이 꼴찌인 이유?
행복 학습, 행복 연습, 행복 훈련을 안해서이다.
행복도 스펙이다!
#영웅 #행복영웅 #행복사관학교 #나다운행복
행복 히어로
최보규 지음
행복히어로
(행복사관학교)
대한민국 행복을 지켜줄 히어로가 왔다!
최보규 지음
최보규
www.행복사관학교.com
유튜브 〈나다운TV 최보규〉
작가, 강사이며 심리상담가 방탄멘탈 전문가이자 강사양성 코칭전문가, 행복사관학교 대표. 강사양성 코칭전문가로서 1,000개가 넘는 강의 분야를 하나로 통합하여 실질적 코칭을 해주며 시스템 및 강사 지침서를 대한민국 최초로 만들었다. 전국을 다니면서 자자자자멘습공 강의를통해 나다운 행복을 만들어갈 수 있도록 동기부여해주고 있다. 13년 동안 15,000명을 상담하면서 극단적인 선택률, 이혼율이 세계최고인 이유가 행복률이 세계최하위에서 알게 하듯 이제는 순간 느끼고 끝나는 행복이 아닌 꾸준한 행복 학습, 행복 연습, 행복 훈련을 통해 나다운 행복을 만들어가야 된다는 것을 알고 강의, 코칭, 유튜브〈나다운TV 최보규〉를 통해 행복률을 올리기 위한 행동을 하고 있다. 저서로는 대한민국 최초 강사양성 지침서, 강사 백과사전인 『 나다운 강사1(강사 내비게이션), 나다운 강사2(강사 사용 설명서)』가 있고 세계최초 방탄멘탈 지침서인 『나다운 방탄멘탈(자자자자멘습공)』이 있다.

자기계발코칭전문가 6단계 시스템
1단계: 방탄자존감.
2단계: 방탄멘탈.
3단계: 방탄습관.
4단계: 방탄행복.
5단계: 방탄자기계발.
6단계: 방탄코칭.
명품 자기계발의 조건!
1. 단 하나. (only one)
방탄자기계발 코칭은 오직 최보규 창시자만 가능하다.
2. 우주 최강 책임감. (150년 a/s, 관리, 피드백)
3. 체계적인 1:1 맞춤 시스템. (9단계 시스템)
4. 20,000명 상담, 코칭. (상담 전문가)
5. 삶으로 검증된 전문가(진정성, 전문성, 신뢰성)
자기계발 책 12권 출간.
자기계발 코칭전문가 1
최보규 창시자
자기계발 코칭전문가 1
4차 산업 시대에는 명품 인재인
방탄자기계발 전문가 1명이
10만 명의 인생을 변화 시킨다!
방탄자기계발 전문가
최보규 참보총장
방탄 자기계발 창시자
자기계발 7관왕
명품코칭 전문가
최보규
방탄자기계발 전문가
유튜브 〈방탄자기계발최보규〉
nice5889@naver.com

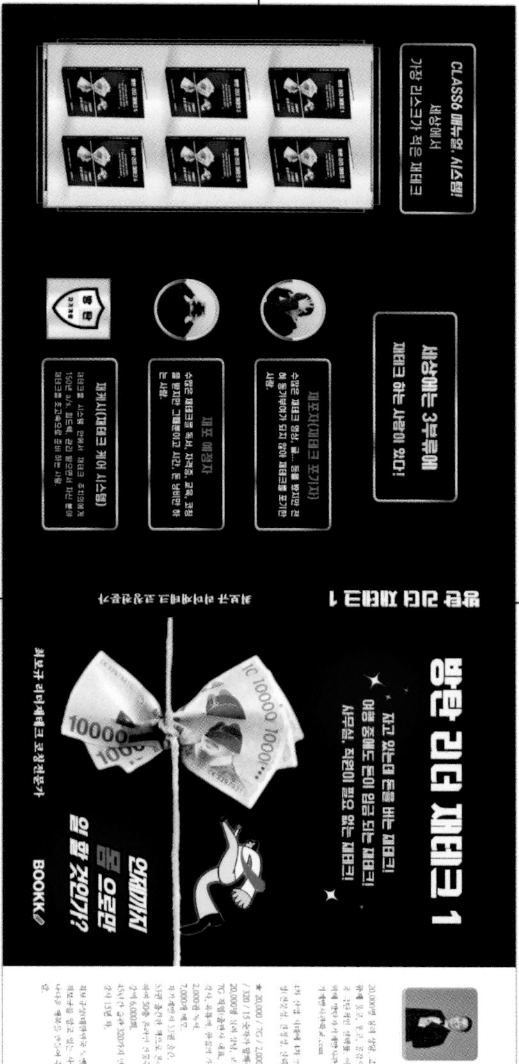
CLASS6 매뉴얼, 시스템!
세상에서
가장 리스크가 적은 재테크
세상에는 3부류에
재테크 하는 사람이 있다!
방탄 리더 재테크 1
최보규 리더재테크 코칭전문가
방탄 리더 재테크 1
자고 있는데 돈을 버는 재테크!
여행 중에도 돈이 입금 되는 재테크!
사무실, 직원이 필요 없는 재테크!
언제까지
몸으로만
일 할 것인가?
최보규 리더재테크 코칭전문가
BOOKK
최보규
리더재테크 코칭전문가
nice5889@naver.com

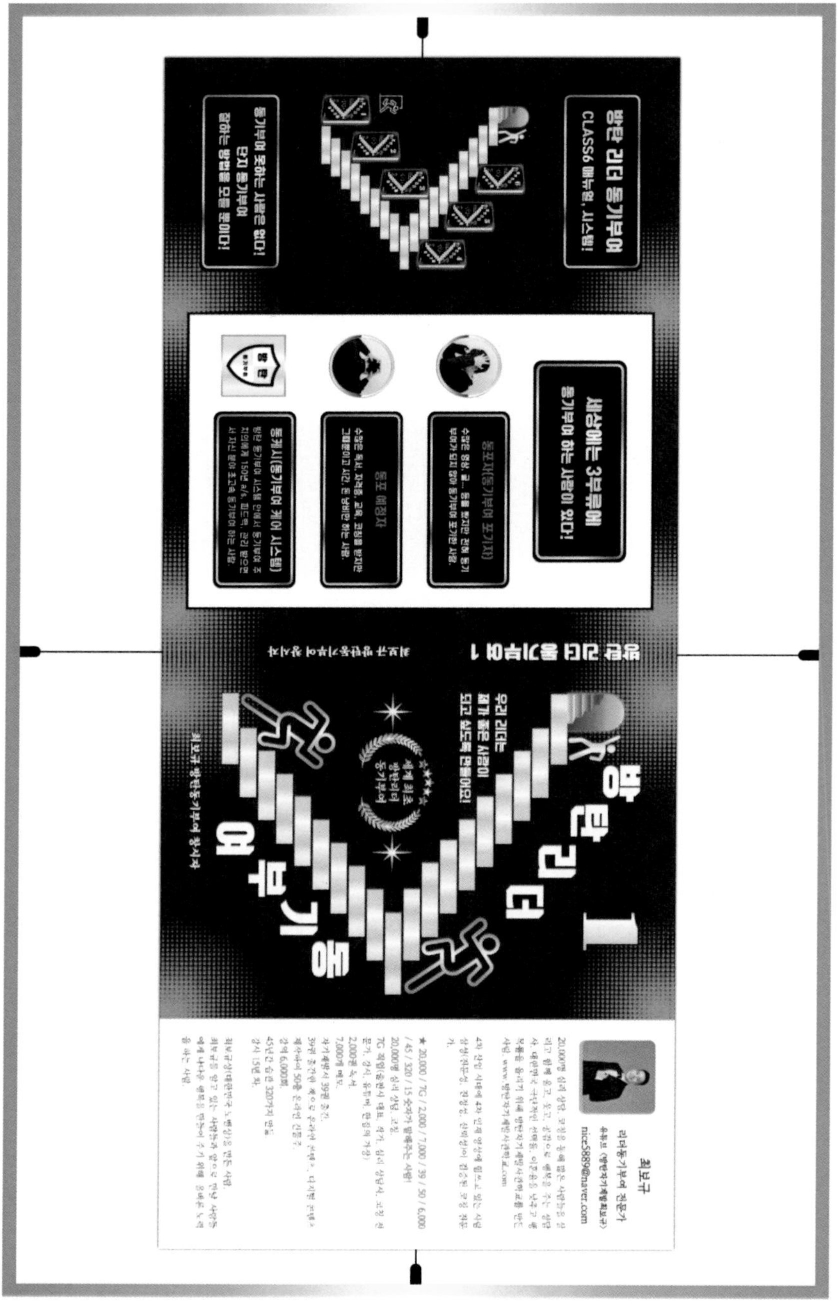
방탄 리더 동기부여
CLASS6 매뉴얼, 시스템!
동기부여 못하는 사람은 없다!
단지 동기부여
잘하는 방법을 모를 뿐이다!
세상에는 3부류에
동기부여 하는 사람이 있다!
동포자(동기부여 포기자)
수많은 영상, 글… 등을 봤지만 전혀 동기부여가 되지 않아 동기부여 포기한 사람.
동포 예정자
수많은 독서, 자격증, 교육, 코칭을 받지만 그때뿐이고 시간, 돈 낭비만 하는 사람.
동케시(동기부여 케어 시스템)
방탄 동기부여 시스템 안에서 동기부여 주치의에게 150년 a/s, 피드백, 관리 받으면서 자신 분야 초고속 동기부여 하는 사람.
방탄
방탄 리더 동기부여 1
최보규 방탄동기부여 창시자
방탄 리더 동기부여 1
우리 리더는
제가 좋은 사람이
되고 싶도록 만들어요!
세계 최초
방탄리더
동기부여
최보규 방탄동기부여 창시자
최보규
리더동기부여 전문가
nice5889@naver.com
★ 20,000 / 7G / 2,000 / 7,000 / 39 / 50 / 6,000 / 45 / 320 / 15 숫자가 말해주는 사람!
20,000명 심리 상담, 코칭.
2,000권 독서.
7,000개 메모.
자기계발서 39권 출간.
강의 6,000회.
45년간 습관 320가지 만듦.
강사 15년 차.

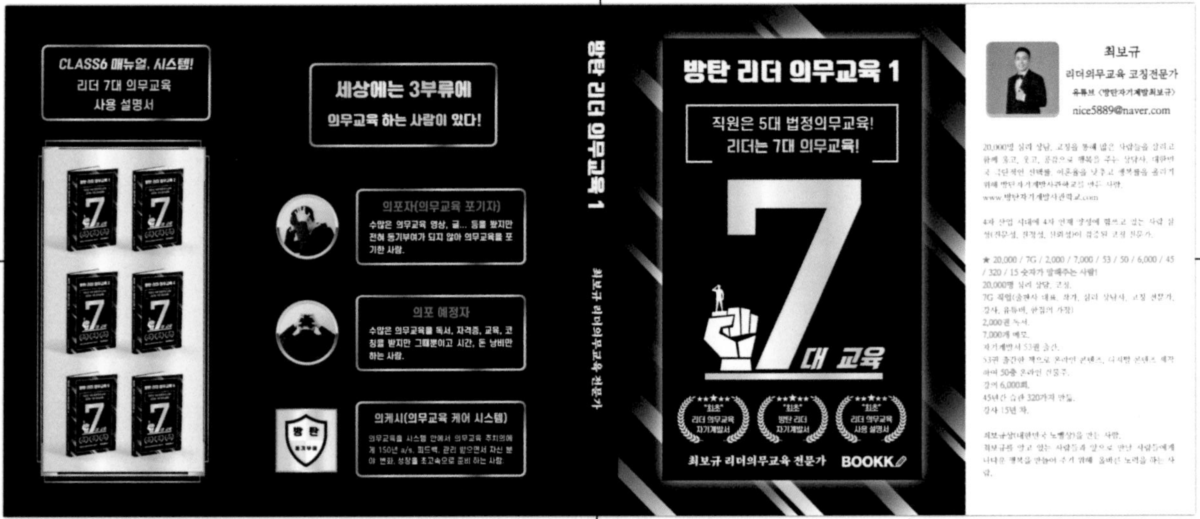
CLASS6 매뉴얼, 시스템!
리더 7대 의무교육
사용 설명서
세상에는 3부류에
의무교육 하는 사람이 있다!
의포자(의무교육 포기자)
수많은 의무교육 영상, 글... 등을 봤지만 전혀 동기부여가 되지 않아 의무교육을 포기한 사람.
의포 예정자
수많은 의무교육을 독서, 자격증, 교육, 코칭을 받지만 그때뿐이고 시간, 돈 낭비만 하는 사람.
의케시(의무교육 케어 시스템)
방탄
방탄 리더 의무교육 1
최보규 리더의무교육 전문가
방탄 리더 의무교육 1
직원은 5대 법정의무교육!
리더는 7대 의무교육!
7대 교육
"최초"
리더 의무교육 자기계발서
"최초"
방탄 리더 자기계발서
"최초"
리더 의무교육 사용 설명서
최보규 리더의무교육 전문가
BOOKK
최보규
리더의무교육 코칭전문가
nice5889@naver.com
★ 20,000 / 7G / 2,000 / 7,000 / 53 / 50 / 6,000 / 45 / 320 / 15

방탄 리더 스피치
CLASS 5
방탄 리더 스피치 1
방탄 리더 스피치 2
방탄 리더 스피치 3
방탄 리더 스피치 4
방탄 리더 스피치 5
20,000명
심리 상담, 코칭을 통해 알게 된
방탄 리더 스피치 7단계 시스템!
1 리더 스피치 본질
2 리더 스피치 자존감
3 리더 스피치 멘탈
4 리더 스피치 습관
5 리더 스피치 행복
6 리더 스피치 자기계발
7 리더 스피치 코칭
방탄 리더 스피치 1
최보규 방탄리더스피치 창시자
방 탄 리더 스피치
방탄 리더 스피치 1
아직도 말만 잘하는 스피치에 집착하는가?
리더여 아직도 1D 스피치, 2D 스피치를 하는가?
방탄 리더 스피치?
★ 따르라 말하지 않아도 따르게 하는 스피치!
★ 모든 게 변해도 변하지 않는 3D 스피치, 4D 스피치!
★ 자신 분야의 삼성(진정성, 전문성, 신뢰성)을 올리는 스피치!
★ 제2수입, 제3수입을 발생시켜 100년 수입 창출하는 스피치!
최보규 방탄리더스피치 창시자
최보규
방탄리더십 전문가
유튜브 〈방탄자기계발최보규〉
nice5889@naver.com
20,000명 심리 상담, 코칭을 통해 많은 사람들을 살리고 함께 울고, 웃고, 공감으로 행복을 주는 상담사.
대한민국 극단적인 선택률, 이혼율을 낮추고 행복률을 올리기 위해 방탄자기계발사관학교를 만든 사람.
직업이 7G(출판사 대표, 작가, 심리 상담사, 코칭 전문가, 강사, 유튜버, 한 집의 가장)인 사람.
4차 산업 시대에 4차 인재 양성에 힘쓰고 있는 사람
삼성(전문성, 진정성, 신뢰성)이 검증된 코칭 전문가.
20,000명 심리 상담, 코칭 경력이 있는 사람.
2,000권 독서를 한 사람.
7,000개 메모를 한 사람.
자기계발서 39권 출간한 사람.
온라인 콘텐츠, 디지털 콘텐츠 제작으로 50종 온라인 건물주가 된 사람.
강의 6,000회 경력이 있는 사람.
45년간 습관 320가지 만든 사람.
유튜버 5년 차인 사람.
최보규상(대한민국 노벨상)을 만든 사람.
최보규를 알고 있는 사람들과 앞으로 만날 사람들에게 나다운 행복을 만들어 주기 위해 올바른 노력을 하는 사람.

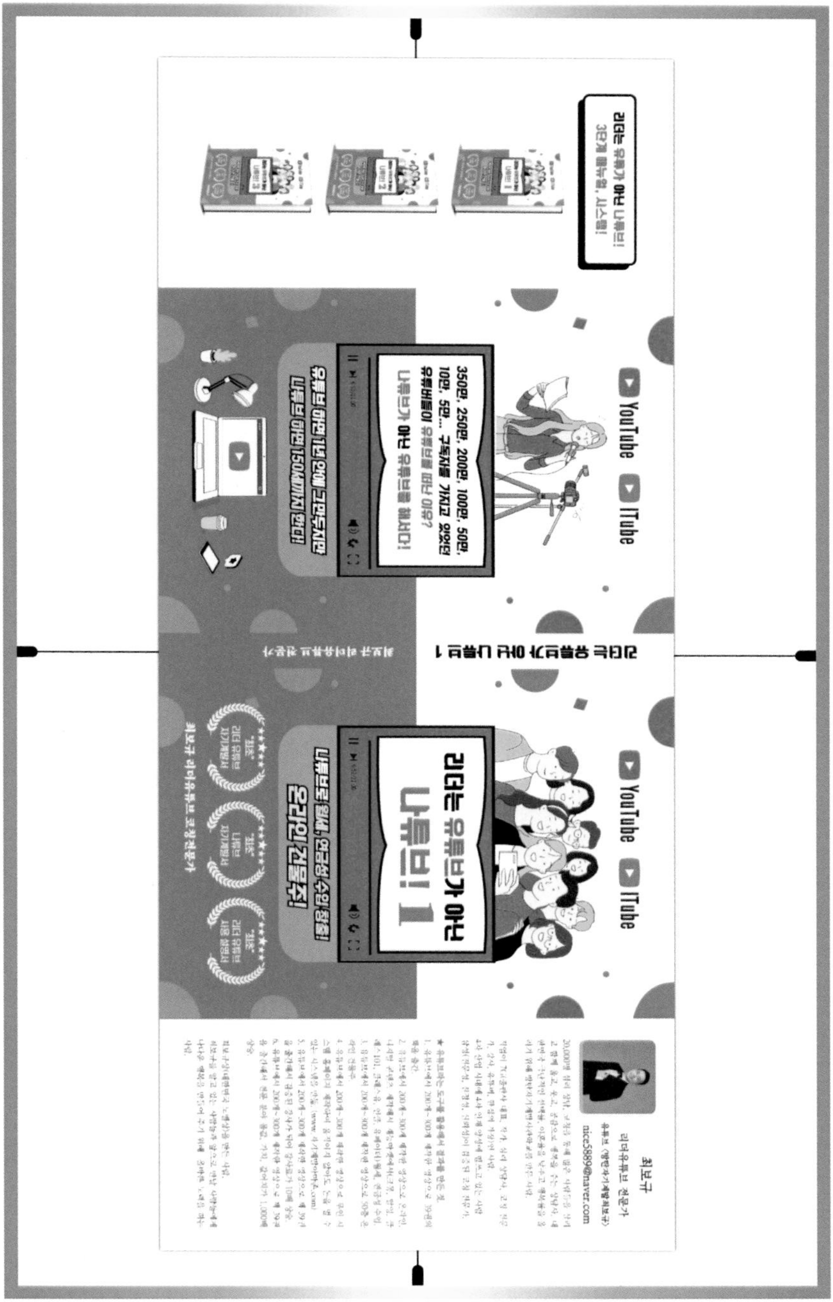
리더는 유튜가 아닌 나튜브!
3단계 매뉴얼, 시스템!
YouTube ITube
350만, 250만, 200만, 100만, 50만, 10만, 5만... 구독자를 가지고 있었던 유튜버들이 유튜브를 떠난 이유?
나튜브가 아닌 유튜브를 해서다!
유튜브 하면 1년 안에 그만두지만
나튜브 하면 150세까지 한다!
리더는 유튜브가 아닌 나튜브 1
최보규 리더유튜브 전문가
YouTube ITube
리더는 유튜브가 아닌
나튜브! 1
나튜브로 월세, 연금성 수입 창출!
온라인 건물주!
"최초" 리더 유튜브 자기계발서
"최초" 나튜브 자기계발서
"최초" 리더 유튜브 사용 설명서
최보규 리더유튜브 코칭전문가
최보규
리더유튜브 전문가
nice5889@naver.com

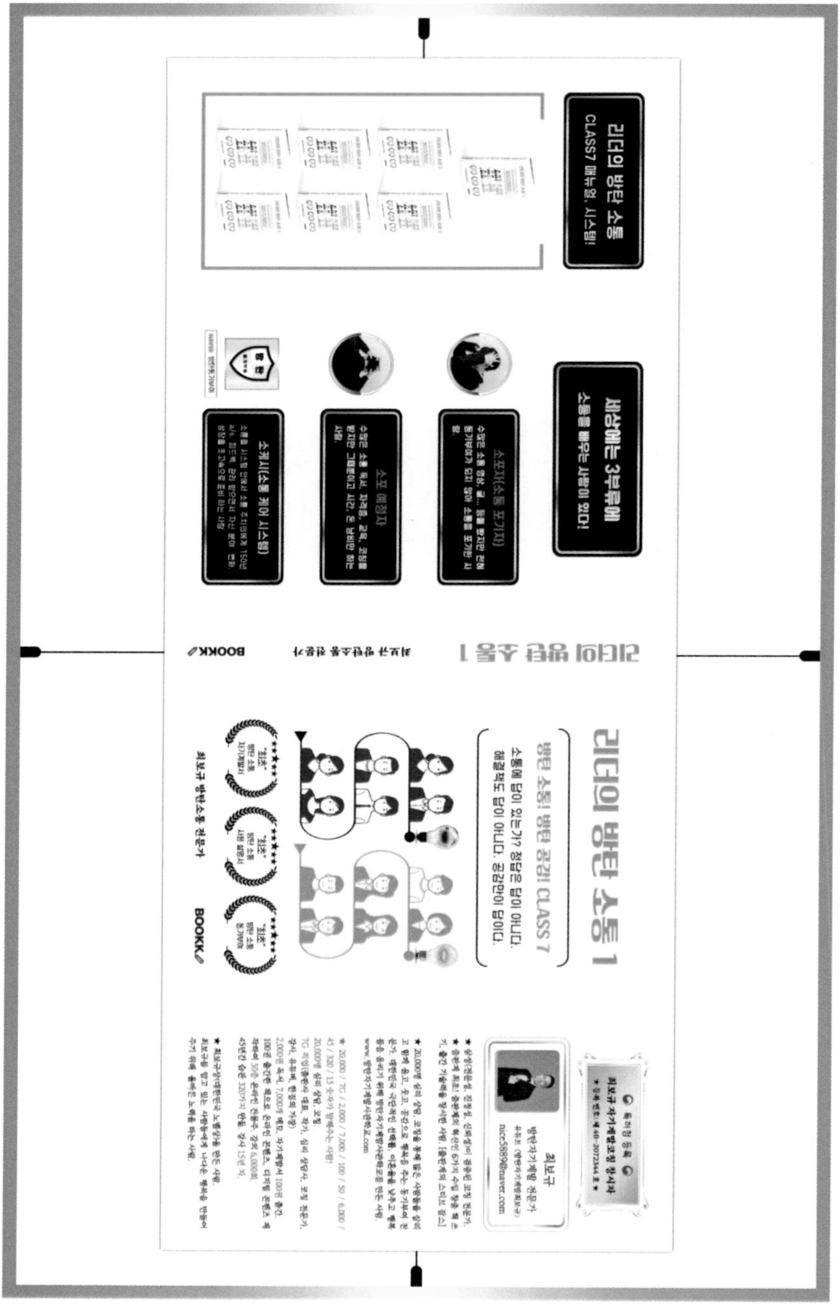
리더의 밝탄 소통 1
밝탄 소통! 밝탄 공감! CLASS 7
소통에 답이 있는가? 정답은 답이 아니다.
해결책도 답이 아니다. 공감만이 답이다.
최보규 밝탄소통 전문가
BOOKK
세상에는 3부류에
소통을 배우는 사람이 있다!
리더의 밝탄 소통
CLASS7 매뉴얼, 시스템!

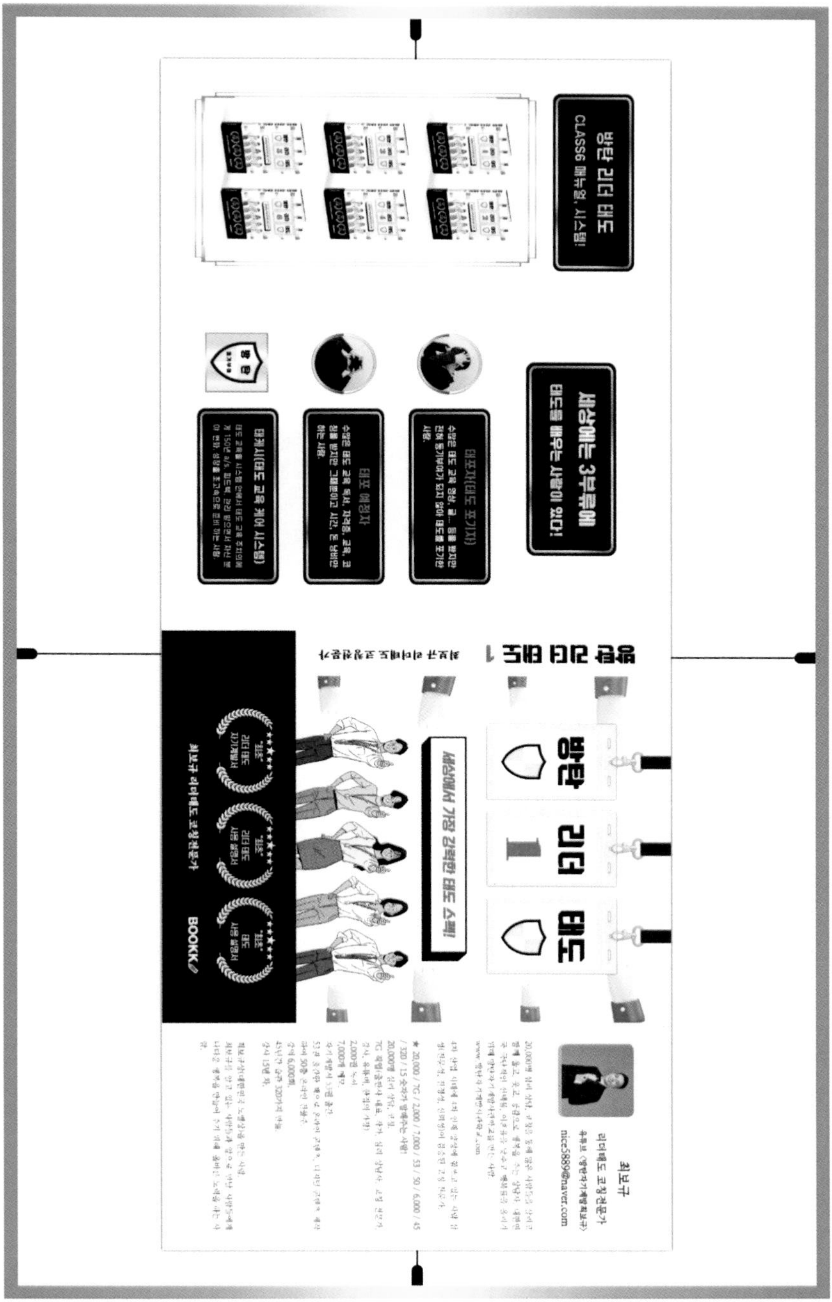

방탄 리더 태도
CLASS6 매뉴얼, 시스템!
세상에는 3부류에
태도를 배우는 사람이 있다!
태포자(태도 포기자)
수많은 태도 교육 영상, 글… 등을 봤지만 전혀 동기부여가 되지 않아 태도를 포기한 사람.
태포 예정자
수많은 태도 교육 독서, 자격증, 교육, 코칭을 받지만 그때뿐이고 시간, 돈 낭비만 하는 사람.
태케시(태도 교육 케어 시스템)
방탄 리더 태도 1
최보규 리더태도 코칭전문가
방탄
리더
태도
1
세상에서 가장 강력한 태도 스펙!
"최초"
리더 태도
자기계발서
"최초"
리더 태도
사용 설명서
"최초"
태도
사용 설명서
최보규 리더태도 코칭전문가
BOOKK
최보규
리더태도 코칭전문가
유튜브 〈방탄자기계발최보규〉
nice5889@naver.com
★ 20,000 / 7G / 2,000 / 7,000 / 53 / 50 / 6,000 / 45 / 320 / 15

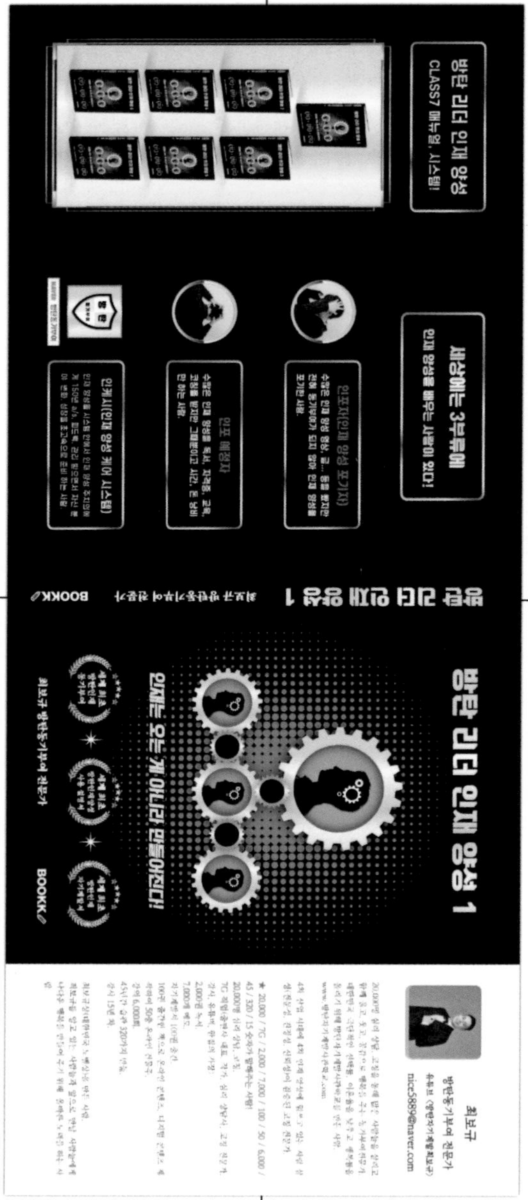
방탄 리더 인재 양성
CLASS7 매뉴얼, 시스템!
세상에는 3부류에
인재 양성을 배우는 사람이 있다!
인포자(인재 양성 포기자)
수많은 인재 양성 영상, 글... 등을 봤지만 전혀 동기부여가 되지 않아 인재 양성을 포기한 사람.
인포 예정자
수많은 인재 양성을 독서, 자격증, 교육, 코칭을 받지만 그때뿐이고 시간, 돈 낭비만 하는 사람.
인케시(인재 양성 케어 시스템)
방탄 리더 인재 양성 1
최보규 방탄동기부여 전문가
BOOKK
방탄 리더 인재 양성 1
인재는 오는 게 아니라 만들어진다!
최보규 방탄동기부여 전문가
BOOKK
최보규
방탄동기부여 전문가
nice5889@naver.com

리더십 PT
CLASS11 매뉴얼, 시스템!
세상에는 3부류에
리더십 PT를 배우는 사람이 있다!
리포자(리더십 PT 포기자)
수많은 리더십 PT 영상, 글... 등을 봤지만 전혀 동기부여가 되지 않아 리더십 PT를 포기한 사람.
리포 예정자
수많은 리더십 PT 독서, 자격증, 교육, 코칭을 받지만 그때뿐이고 시간, 돈 낭비만 하는 사람.
리케시(리더십 PT 케어 시스템)
리더십 PT 시스템 안에서 리더십 PT 주치의에게 150년 a/s, 피드백, 관리 받으면서 자신 분야 변화, 성장을 초고속으로 준비 하는 사람.
방탄 동기부여
방탄동기부여
리더십 PT 1
최보규 방탄동기부여 전문가
BOOKK
리더십 PT 1
앞서가는 리더는 PT한다!
압도적 차이를 만드는
방탄 리더십 PT
세계 최초 방탄PT
리더십PT 사용 설명서
리더PT 지침서
최보규 방탄동기부여 전문가
BOOKK
특허청 등록
최보규 자기계발코칭 창시자
★ 등록 번호: 제 40-2072344 호 ★
최보규
방탄자기계발 전문가
유튜브 〈방탄자기계발최보규〉
nice5889@naver.com
★ 80억 분의 1 검증된 동기부여 전문가
★ 삼성(전문성, 진정성, 신뢰성)이 검증된 코칭 전문가.
★ 출판계 최초! 출판계의 혁신인 6가지 수입 창출 책 쓰기, 출간 기술력을 창시한 사람. [출판계의 스티브 잡스]
★ 20,000명 심리 상담, 코칭을 통해 많은 사람들을 살리고 함께 울고, 웃고, 공감으로 행복을 주는 동기부여 전문가. 대한민국 극단적인 선택률, 이혼율을 낮추고 행복률을 올리기 위해 방탄자기계발사관학교를 만든 사람.
www.방탄자기계발사관학교.com
★ 20,000 / 7G / 2,000 / 7,000 / 100 / 50 / 6,000 / 45 / 320 / 15 숫자가 말해주는 사람!
20,000명 심리 상담, 코칭.
7G 직업(출판사 대표, 작가, 심리 상담사, 코칭 전문가, 강사, 유튜버, 한집의 가장)
2,000권 독서, 7,000개 메모, 자기계발서 100권 출간.
100권 출간한 책으로 온라인 콘텐츠, 디지털 콘텐츠 제작하여 50종 온라인 건물주. 강의 6,000회.
45년간 습관 320가지 만듦. 강사 15년 차.
★ 최보규상(대한민국 노벨상)을 만든 사람.
최보규를 알고 있는 사람들에게 나다운 행복을 만들어 주기 위해 올바른 노력을 하는 사람.

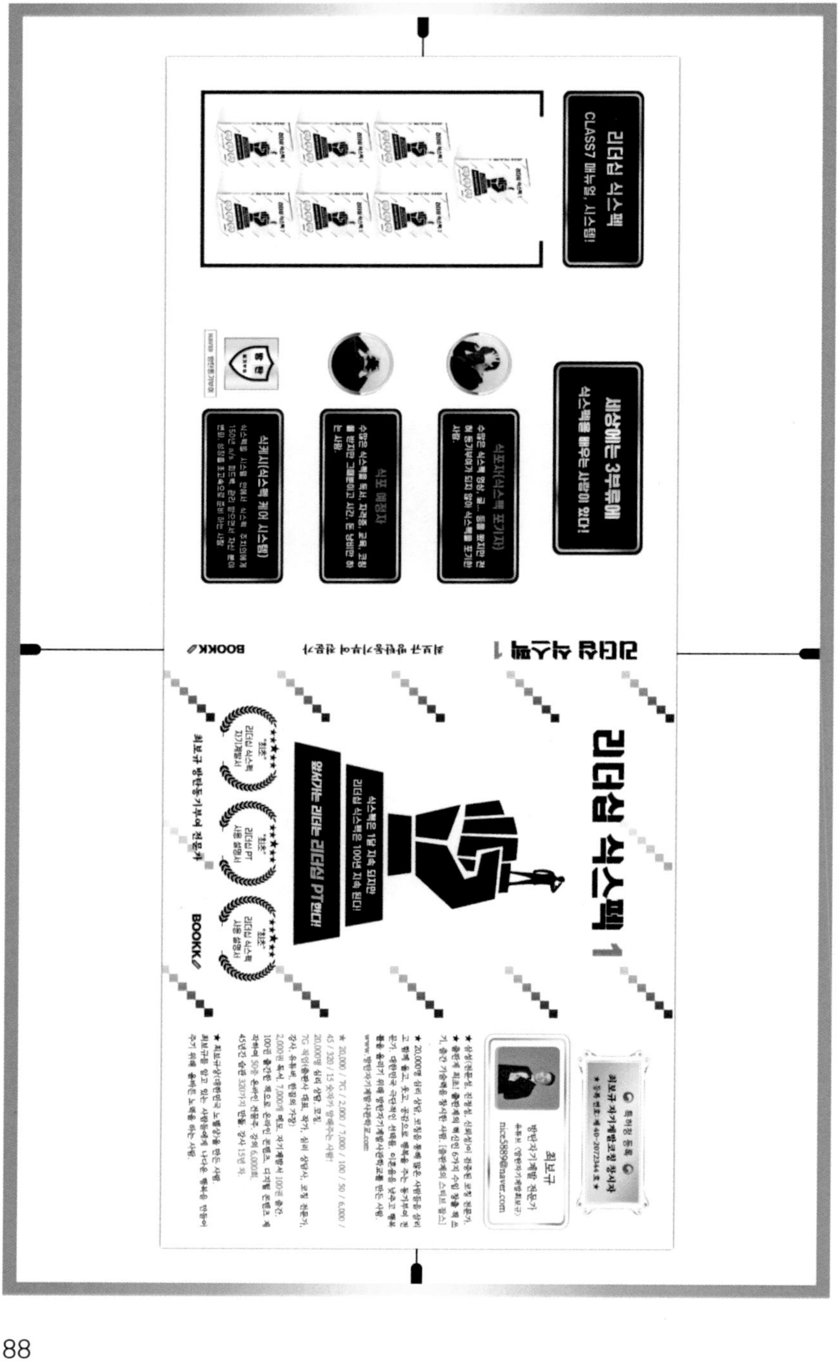
리더십 식스팩
CLASS7 매뉴얼, 시스템!
세상에는 3부류에
식스팩을 배우는 사람이 있다!
식포자(식스팩 포기자)
수많은 식스팩 영상, 글... 등을 봤지만 전혀 동기부여가 되지 않아 식스팩을 포기한 사람.
식포 예정자
수많은 식스팩을 독서, 자격증, 교육, 코칭을 받지만 그때뿐이고 시간, 돈 낭비만 하는 사람.
식케시(식스팩 케어 시스템)
식스팩을 시스템 안에서 식스팩 주치의에게 150년 a/s, 피드백, 관리 받으면서 자신 분야 변화, 성장을 초고속으로 준비 하는 사람.
리더십 식스팩 1
최보규 방탄동기부여 전문가
BOOKK
리더십 식스팩 1
식스팩은 1달 지속 되지만
리더십 식스팩은 100년 지속 된다!
앞서가는 리더는 리더십 PT한다!
"최초" 리더십 식스팩 자기계발서
"최초" 리더십 PT 사용 설명서
"최초" 리더십 식스팩 사용 설명서
최보규 방탄동기부여 전문가
BOOKK
특허청 등록
최보규 자기계발코칭 창시자
★ 등록 번호: 제 40-2072344 호 ★
최보규
방탄자기계발 전문가
유튜브 (방탄자기계발최보규)
nice5889@naver.com
★ 삼성(전문성, 진정성, 신뢰성)이 검증된 코칭 전문가.
★ 출판계 최초! 출판계의 혁신인 6가지 수입 창출 책 쓰기, 출간 기술력을 창시한 사람. [출판계의 스티브 잡스]
★ 20,000명 심리 상담, 코칭을 통해 많은 사람들을 살리고 함께 울고, 웃고, 공감으로 행복을 주는 동기부여 전문가. 대한민국 극단적인 선택률, 이혼율을 낮추고 행복률을 올리기 위해 방탄자기계발사관학교를 만든 사람.
www.방탄자기계발사관학교.com
★ 20,000 / 7G / 2,000 / 7,000 / 100 / 50 / 6,000 / 45 / 320 / 15 숫자가 말해주는 사람!
20,000명 심리 상담, 코칭.
7G 직업(출판사 대표, 작가, 심리 상담사, 코칭 전문가, 강사, 유튜버, 한집의 가장)
2,000권 독서, 7,000개 메모, 자기계발서 100권 출간.
100권 출간한 책으로 온라인 콘텐츠, 디지털 콘텐츠 제작하여 50층 온라인 건물주. 강의 6,000회.
45년간 습관 320가지 만듦. 강사 15년 차.
★ 최보규상(대한민국 노벨상)을 만든 사람.
최보규를 알고 있는 사람들에게 나다운 행복을 만들어 주기 위해 올바른 노력을 하는 사람.

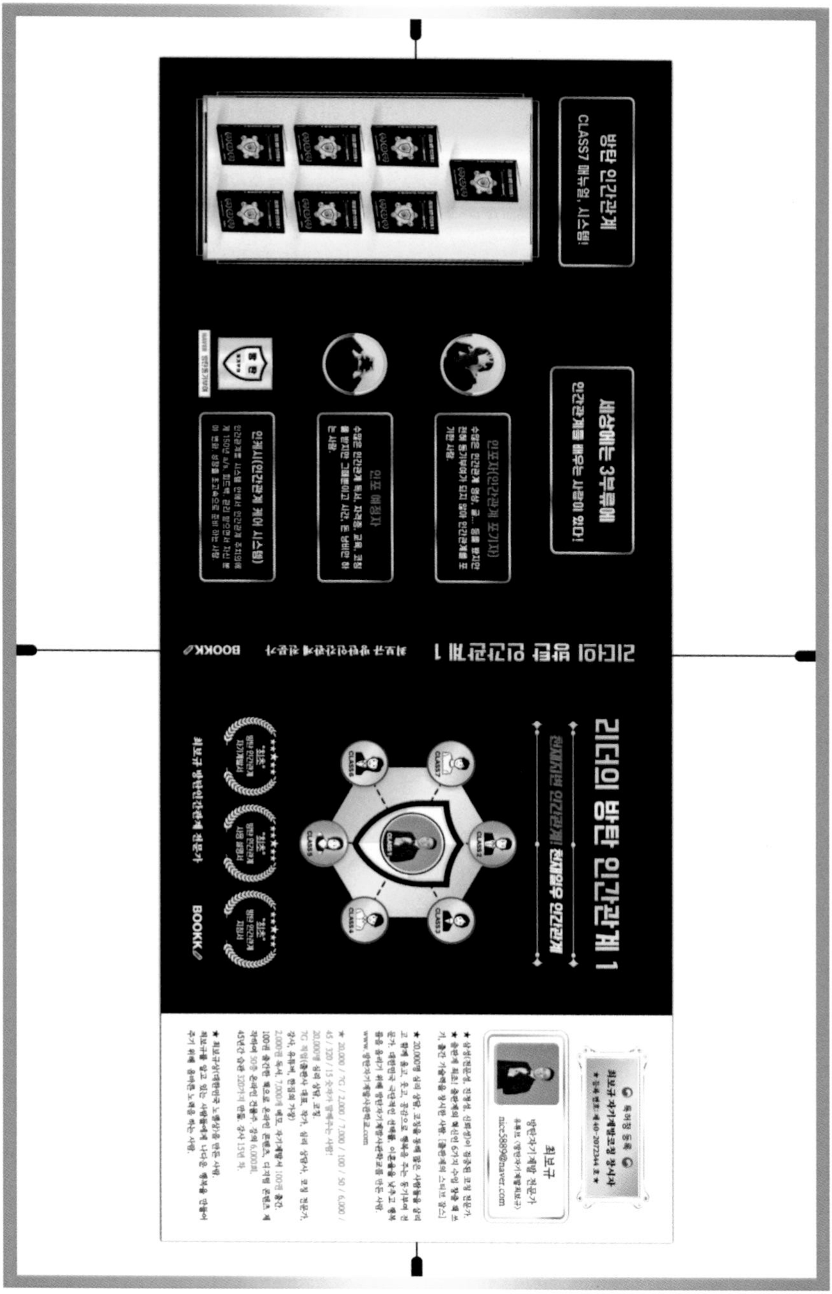

방탄 인간관계
CLASS7 매뉴얼, 시스템!
세상에는 3부류에
인간관계를 배우는 사람이 있다!
인포자(인간관계 포기자)
수많은 인간관계 영상, 글... 등을 봤지만 전혀 동기부여가 되지 않아 인간관계를 포기한 사람.
인포 애정자
수많은 인간관계 독서, 자격증, 교육, 코칭을 받지만 그때뿐이고 시간, 돈 낭비만 하는 사람.
인케시(인간관계 케어 시스템)
리더의 방탄 인간관계 1
최보규 방탄인간관계 전문가
BOOKK
리더의 방탄 인간관계 1
천재지변 인간관계! 천재일우 인간관계
"최초" 방탄 인간관계 자기계발서
"최초" 방탄 인간관계 사용 설명서
"최초" 방탄 인간관계 지침서
최보규 방탄인간관계 전문가
BOOKK
특허청 등록
최보규 자기계발코칭 창시자
최보규
방탄자기계발 전문가
nice5889@naver.com

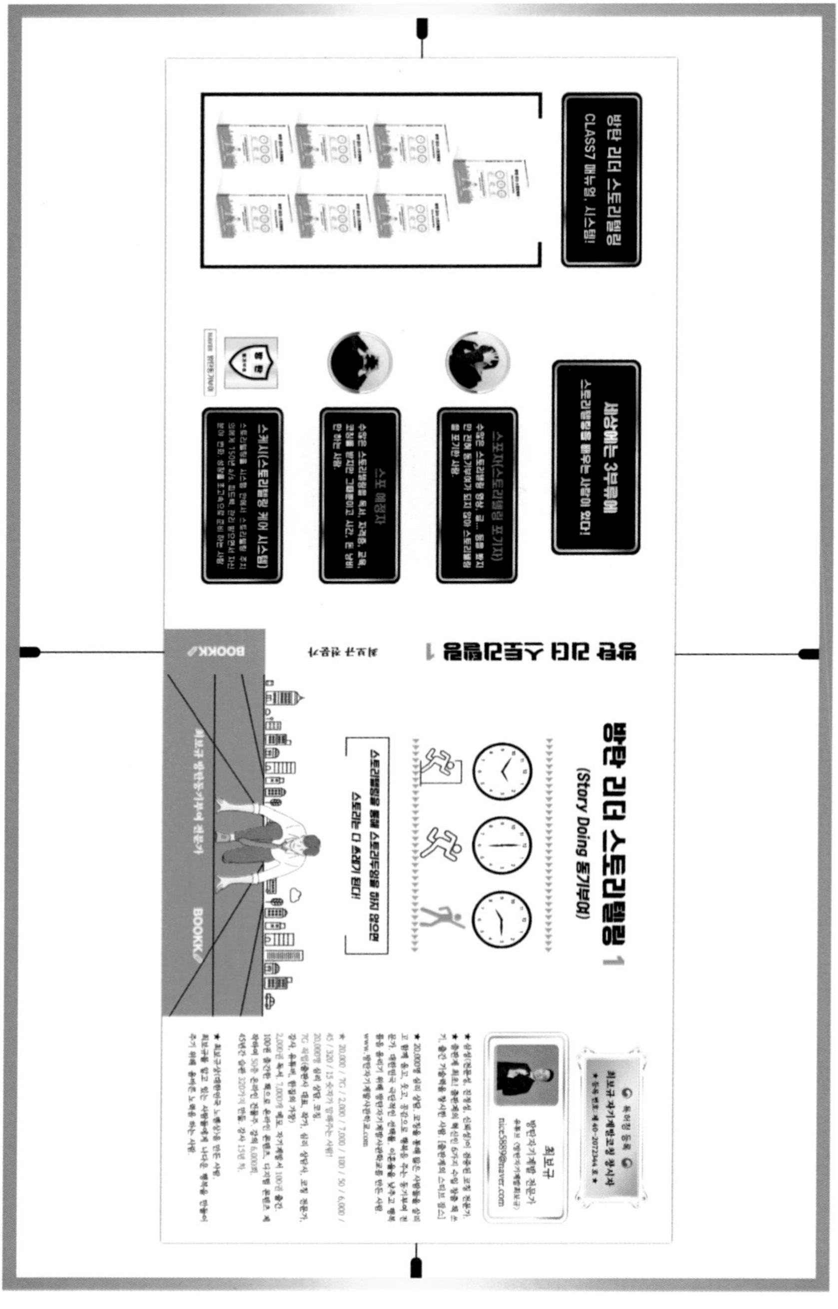
방탄 리더 스토리텔링
CLASS7 매뉴얼, 시스템!
세상에는 3부류에
스토리텔링을 배우는 사람이 있다!
스포자(스토리텔링 포기자)
수많은 스토리텔링 영상, 글... 등을 봤지만 전혀 동기부여가 되지 않아 스토리텔링을 포기한 사람.
스포 예정자
수많은 스토리텔링을 독서, 자격증, 교육, 코칭을 받지만 그때뿐이고 시간, 돈 낭비만 하는 사람.
스케시(스토리텔링 케어 시스템)
방탄 리더 스토리텔링 1
최보규 전문가
방탄 리더 스토리텔링 1
(Story Doing 동기부여)
스토리텔링을 통해 스토리두잉을 하지 않으면
스토리는 다 쓰레기 된다!
최보규 방탄동기부여 전문가
BOOKK
특허청 등록
최보규 자기계발코칭 창시자
★ 등록 번호: 제 40-2072344 호 ★
최보규
방탄자기계발 전문가
nice5889@naver.com

세계최초 방탄자존감
세계최초 방탄습관
세계최초 방탄행복
세계최초 방탄멘탈
세계최초 방탄강의
세계최초 방탄강사
세상 모든 것이 바뀌어도 나다움의 본질은 바뀌지 않는다.
세상 모든 습관 공식이 바뀌어도
나다운 방탄습관블록은 바뀌지 않는다.
당신이 우울한 이유는 우울한 습관 때문에
당신이 행복한 이유는 행복한 습관 덕분에
당신이 돈을 못 버는 이유는 돈 못 버는 습관 때문에
당신이 돈을 버는 이유는 돈 버는 습관 덕분에
지금까지 알고 있는 습관 공식은 잊어라!
당신이 그토록 찾고 있던 습관 공식!
세상 모든 것이 변해도
나다운 방탄습관블록은 변하지 않는다.
습관 아인슈타인!
"최초"
습관 바이블
나다운 방탄습관블록
최보규 지음
BOOKK
세계 최초
나다운
방탄습관블록
최보규 지음
BOOKK
지금까지 알고 있는 습관 공식은 잊어라!
당신이 그토록 찾고 있던 습관 공식!
세상 모든 것이 변해도
나다운 방탄습관블록은 변하지 않는다.
습관 아인슈타인!
"최초"
습관 바이블
최보규
방탄자기계발 전문가

노재광 지음
최보규 지음
아픈 만큼 성숙해진다?
단언컨대 아픈 것을
극복했을 때 성숙해진다!
4차 산업시대에는
3차
위로, 힐링, 격려가 아닌!
4차
(나다운 방탄 카피 사전)
위로, 힐링, 격려로
몸 셀프케어
머리 셀프케어
마음 셀프케어
상처 극복
프로젝트
나다운 방탄 카피 사전
노재광 · 최보규 지음
BOOKK
노재광
최보규
나다운
방탄 카피 사전
마데카솔 방탄 카
후시딘 방탄 카피
세상 속 상처
현실 속 상처
BOOKK
노재광
후시딘 자기계발 전문가
AHA교육컨설팅 대표
kdori1220@hanmail.net
최보규
마데카솔 자기계발 전문가
유튜브 《행복히어로》

"80억 분의 1 검증된 전문가"
"세계 최초"
방탄 리더십 시스템!
해보자! 해보자!
자신 가능성을 믿고!
자신의
사과 씨, 도토리, 포도 씨 믿으세요!
세상에는 3부류에
리더십을 배우는 사람이 있다!
리포자(리더십 포기자)
수많은 리더십 영상, 글... 등을 봤지만 전혀 동기부여가 되지 않아 리더십을 포기한 사람.
리포 예정자
수많은 리더십 독서, 자격증, 교육, 코칭을 받지만 그때뿐이고 시간, 돈 낭비만 하는 사람.
리케시(리더십 케어 시스템)
리더십을 시스템 안에서 리더십 주치의에게 150년 a/s, 피드백, 관리 받으면서 자신 분야 변화, 성장을 초고속으로 준비 하는 사람.
1조 리더십 강의 1
최보규 방탄리더십 일타강사
BOOKK
□□ 리더가 10만 명을 변화시킨다!
리더십 일타강사
강사야 대표 강사
특허청 등록
특허청 등록
최보규 리더동기부여 코칭전문가
★ 등록 번호: 제 40-2128786호 ★
최보규
방탄리더십 전문가
유튜브 《방탄자기계발최보규》
nice5889@naver.com
★ 80억 분의 1 ONLY ONE 검증된 동기부여 일타강사!
★ 삼성(전문성, 진정성, 신뢰성)이 검증된 코칭 전문가.
★ 출판계 최초! 출판계의 혁신인 6가지 수입 창출 책 쓰기, 출간 기술력을 창시한 사람. [출판계의 스티브 잡스]
★ 20,000명 심리 상담, 코칭을 통해 대한민국 극단적인 선택률, 이혼율을 낮추고 행복률을 올리기 위해 방탄자기계발사관학교를 만든 사람.
www.방탄자기계발사관학교.com
★ 20,000 / 7G / 2,000 / 7,000 / 100 / 50 / 6,000 / 45 / 320 / 15 숫자가 말해주는 사람!
20,000명 심리 상담, 코칭.
7G 직업(출판사 대표, 작가, 심리 상담사, 코칭 전문가, 강사, 유튜버, 한집의 가장)
2,000권 독서, 7,000개 메모, 자기계발서 100권 출간.
100권 출간한 책으로 온라인 콘텐츠, 디지털 콘텐츠 제작하여 50층 온라인 건물주. 강의 6,000회.
45년간 습관 320가지 만듦. 강사 15년 차.
★ 최보규상(대한민국 노벨상)을 만든 사람.
최보규를 알고 있는 사람들에게 나다운 행복을 만들어 주기 위해 올바른 노력을 하는 사람.

CLASS6 매뉴얼, 시스템!
(스트레스 관리 기술)
세상에는 3부류에
감정컨트롤 하는 사람이 있다!
감포자(감정컨트롤 포기자)
수많은 감정컨트롤 영상, 글... 등을 봤지만 전혀 동기부여가 되지 않아 감정컨트롤을 포기한 사람.
감포 예정자
수많은 감정컨트롤 독서, 자격증, 교육, 코칭을 받지만 그때뿐이고 시간, 돈 낭비만 하는 사람.
방탄
감케시(감정컨트롤 케어 시스템)
감정컨트롤 시스템 안에서 감정컨트롤 주치의에게 150년 a/s, 피드백, 관리 받으면서 자신 분야 감정컨트롤을 초고속으로 준비 하는 사람.
방탄 리더 감정컨트롤 1
최보규 리더마인드 코칭전문가
방탄 리더 감정컨트롤 1
(리더 스트레스 관리)
회사가 망하지 않으려면
리더 감정컨트롤에 달렸다!
"최초" 리더 감정컨트롤 자기계발서
"최초" 리더 감정컨트롤 지침서
"최초" 리더 감정컨트롤 사용 설명서
최보규 리더마인드 코칭전문가
최보규
리더마인드 코칭전문가
유튜브 〈방탄자기계발최보규〉
nice5889@naver.com
★ 20,000 / 7G / 2,000 / 7,000 / 39 / 50 / 6,000 / 45 / 320 / 15 숫자가 말해주는 사람!
20,000명 심리 상담, 코칭.
2,000권 독서.
7,000개 메모.
자기계발서 39권 출간
강의 6,000회.
45년간 습관 320가지 만듦.
강사 15년 차.

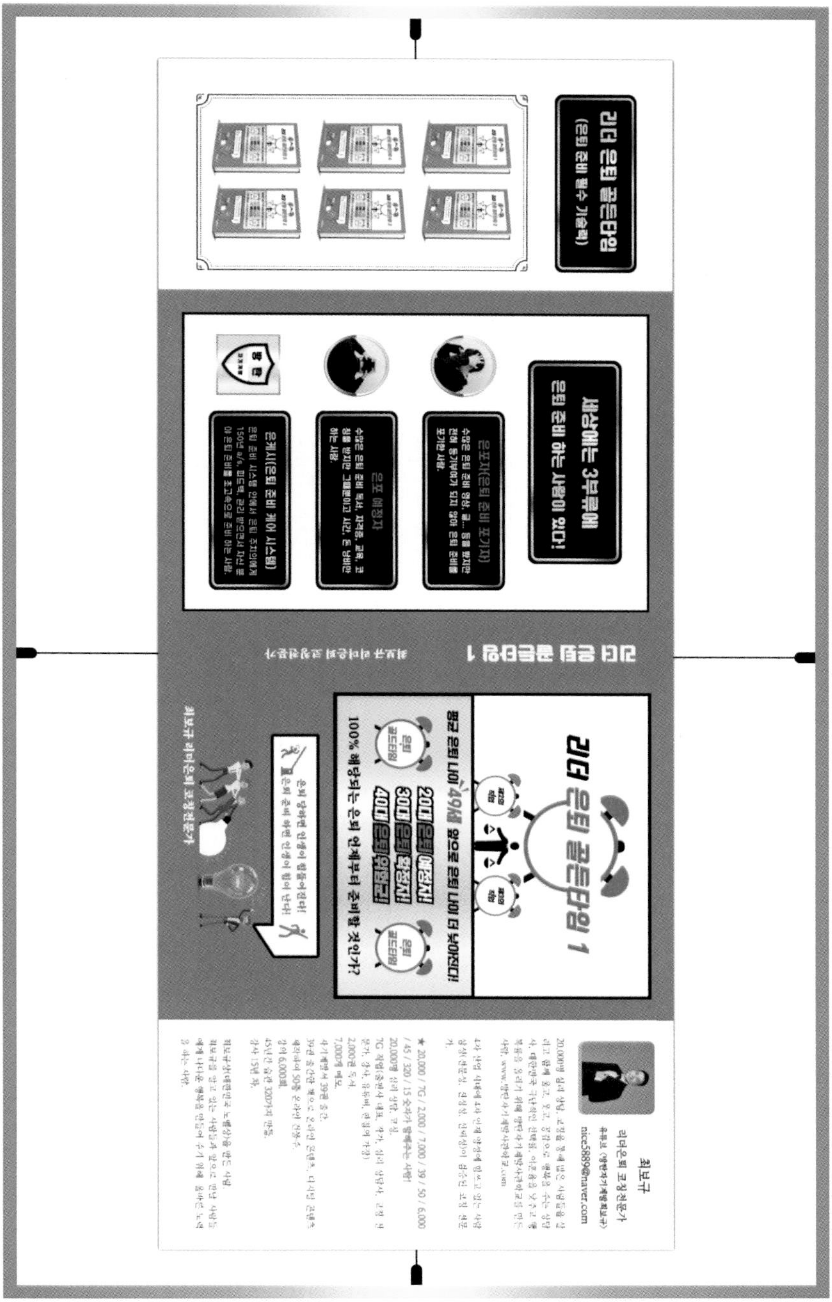
리더 은퇴 골든타임
(은퇴 준비 필수 기술력)
세상에는 3부류에
은퇴 준비 하는 사람이 있다!
은포자(은퇴 준비 포기자)
수많은 은퇴 준비 영상, 글... 등을 봤지만 전혀 동기부여가 되지 않아 은퇴 준비를 포기한 사람.
은포 예정자
수많은 은퇴 준비 독서, 자격증, 교육, 코칭을 받지만 그때뿐이고 시간, 돈 낭비만 하는 사람.
은케시(은퇴 준비 케어 시스템)
은퇴 준비 시스템 안에서 은퇴 주치의에게 150년 a/s, 피드백, 관리 받으면서 자신 분야 은퇴 준비를 초고속으로 준비 하는 사람.
리더 은퇴 골든타임 1
최보규 리더은퇴 코칭전문가
리더 은퇴 골든타임 1
제2의 직업
제3의 직업
평균 은퇴 나이 49세 앞으로 은퇴 나이 더 낮아진다!
은퇴 골든타임
20대 은퇴 예정자!
30대 은퇴 확정자!
40대 은퇴 위험군!
100% 해당되는 은퇴 언제부터 준비할 것인가?
은퇴 당하면 인생이 힘들어진다!
은퇴 준비 하면 인생이 힘이 난다!
최보규 리더은퇴 코칭전문가
최보규
리더은퇴 코칭전문가
유튜브 〈방탄자기계발최보규〉
nice5889@naver.com
20,000명 심리 상담, 코칭을 통해 많은 사람들을 살리고 함께 울고, 웃고, 공감으로 행복을 주는 상담사.
4차 산업 시대에 4차 인재 양성에 힘쓰고 있는 사람
삼성(전문성, 진정성, 신뢰성)이 검증된 코칭 전문가.
★ 20,000 / 7G / 2,000 / 7,000 / 39 / 50 / 6,000 / 45 / 320 / 15 숫자가 말해주는 사람!
20,000명 심리 상담, 코칭.
7G 직업(출판사 대표, 작가, 심리 상담사, 코칭 전문가, 강사, 유튜버, 한 집의 가장)
2,000권 독서.
7,000개 메모.
자기계발서 39권 출간.
39권 출간한 책으로 온라인 콘텐츠, 디지털 콘텐츠 제작하여 50총 온라인 건물주.
강의 6,000회.
45년간 습관 320가지 만듦.
강사 15년 차.
최보규상(대한민국 노벨상)을 만든 사람.
을 하는 사람.

리더 의무교육
CLASS11 매뉴얼, 시스템!
세상에는 3부류에
의무교육 배우는 사람이 있다!
의포자(의무교육 포기자)
수많은 의무교육 영상, 글... 등을 봤지만 전혀 동기부여가 되지 않아 의무교육을 포기한 사람.
의포 예정자
수많은 의무교육을 독서, 자격증, 교육, 코칭을 받지만 그때뿐이고 시간, 돈 낭비만 하는 사람.
의케시(의무교육 케어 시스템)
의무교육을 시스템 안에서 의무교육 주치의에게 150년 a/s, 피드백, 관리 받으면서 자신 분야 변화, 성장을 초고속으로 준비 하는 사람.
리더 의무교육 1
최보규 리더7대의무교육 창시자
BOOKK
리더 의무교육 1
리더가 리더 7대 의무교육을
받지 않으면 인재가 떠난다!
7대 교육
인재 퇴사
"최초"
리더 의무교육
자기계발서
"최초"
방탄 리더
자기계발서
"최초"
리더 의무교육
사용 설명서
최보규 리더7대의무교육 창시자
BOOKK
최보규
리더의무교육 코칭전문가
유튜브 〈방탄자기계발최보규〉
nice5889@naver.com
★ 20,000 / 7G / 2,000 / 7,000 / 100 / 50 / 6,000 / 45 / 320 / 15 숫자가 말해주는 사람!
20,000명 심리 상담, 코칭.
2,000권 독서.
7,000개 메모.
강의 6,000회.
45년간 습관 320가지 만듦.
강사 15년 차.

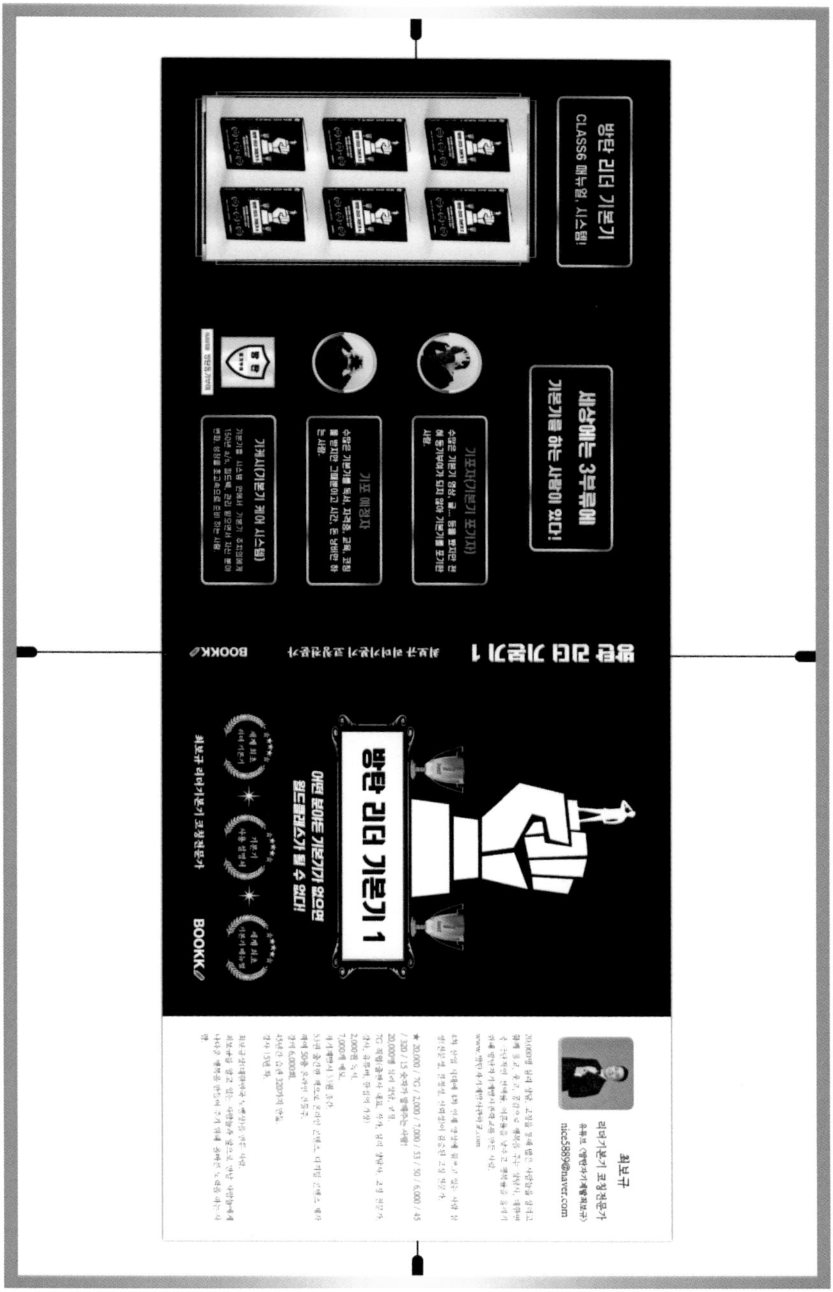
방탄 리더 기본기
CLASS6 매뉴얼, 시스템!
세상에는 3부류에
기본기를 하는 사람이 있다!
방탄 리더 기본기 1
어떤 분야든 기본기가 있으면
월드클래스가 될 수 있다!
최보규 리더기본기 코칭전문가
BOOKK
최보규
리더기본기 코칭전문가
nice5889@naver.com

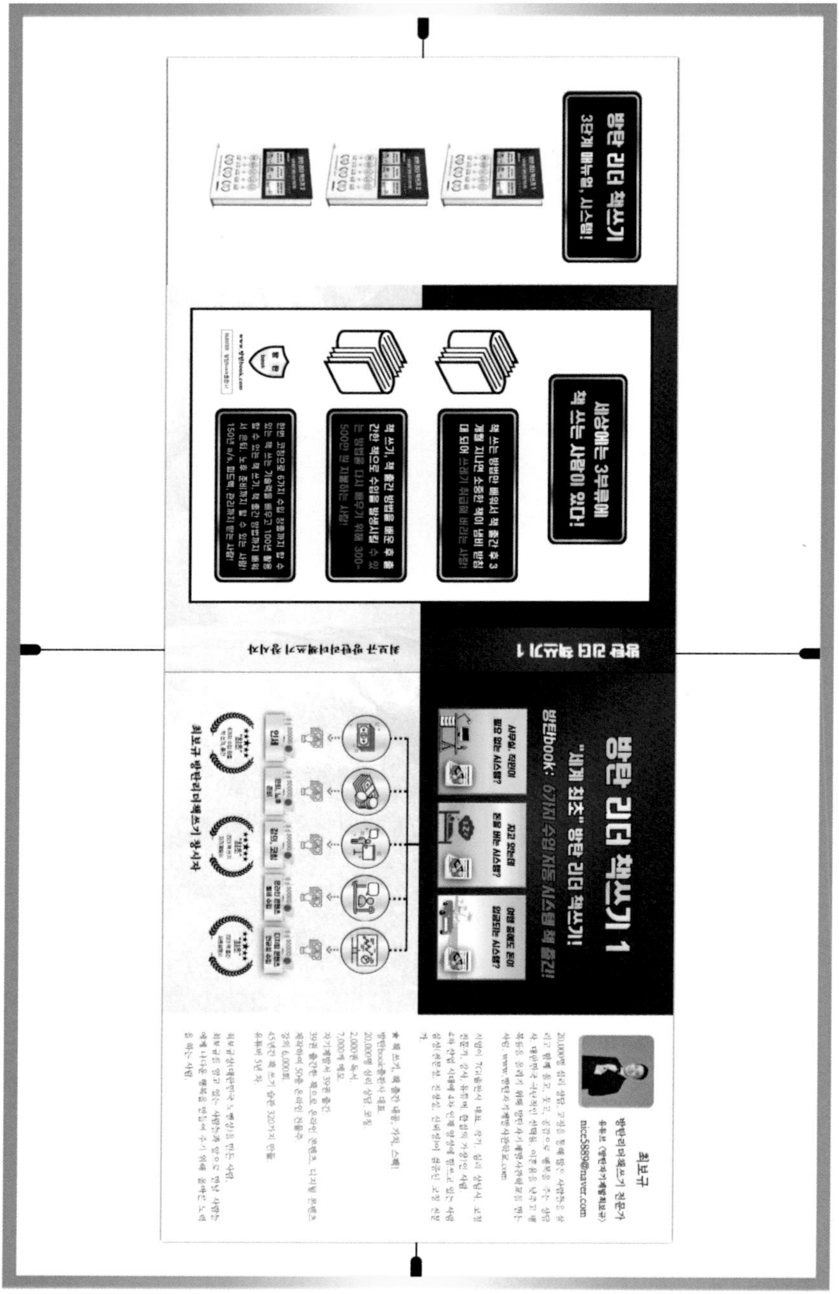
방탄 리더 책쓰기
3단계 매뉴얼, 시스템!
세상에는 3부류에
책 쓰는 사람이 있다!
책 쓰는 방법만 배워서 책 출간 후 3개월 지나면 소중한 책이 냄비 받침대 되어 쓰레기 취급해 버리는 사람!
책 쓰기, 책 출간 방법을 배운 후 출간한 책으로 수입을 발생시킬 수 있는 방법을 다시 배우기 위해 300-500만 원 지불하는 사람!
한번 코칭으로 6가지 수입 창출까지 할 수 있는 책 쓰는 기술력을 배우고 100년 활용할 수 있는 책 쓰기, 책 출간 방법까지 배워서 은퇴, 노후 준비까지 할 수 있는 사람! 150년 a/s, 피드백, 관리까지 받는 사람!
www.방탄book.com
방탄 리더 책쓰기 1
최보규 방탄리더책쓰기 창시자
방탄 리더 책쓰기 1
"세계 최초" 방탄 리더 책쓰기!
방탄book: 6가지 수입 자동 시스템 책 출간!
사무실, 직원이 필요 없는 시스템?
자고 있는데 돈을 버는 시스템?
여행 중에도 돈이 입금되는 시스템?
인세
강의, 코칭
최보규 방탄리더책쓰기 창시자
최보규
방탄리더책쓰기 전문가
nice5889@naver.com
★ 책 쓰기, 책 출간 내공, 가치, 스펙!
방탄book출판사 대표.
20,000명 심리 상담, 코칭.
2,000권 독서.
7,000개 메모.
자기계발서 39권 출간.
강의 6,000회.
유튜버 5년 차.

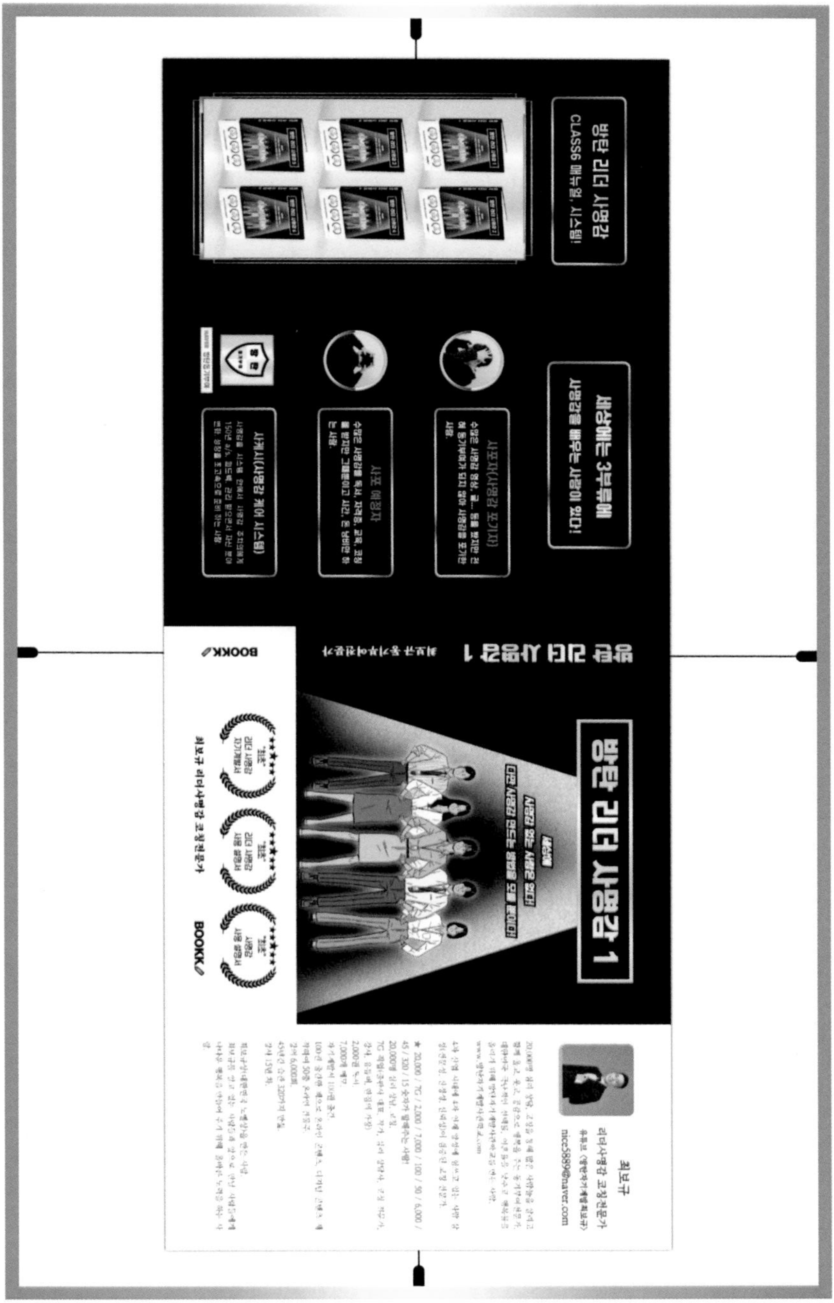
방탄 리더 사명감
CLASS6 매뉴얼, 시스템!
세상에는 3부류에
사명감을 배우는 사람이 있다!
사포자(사명감 포기자)
수많은 사명감 영상, 글... 등을 봤지만 전혀 동기부여가 되지 않아 사명감을 포기한 사람.
사포 예정자
수많은 사명감을 독서, 자격증, 교육, 코칭을 받지만 그때뿐이고 시간, 돈 낭비만 하는 사람.
사케시(사명감 케어 시스템)
방탄 리더 사명감 1
최보규 동기부여전문가
방탄 리더 사명감 1
세상에
사명감 없는 사람은 없다!
다만 사명감 만드는 방법을 모를 뿐이다!
"최초" 리더 사명감 자기계발서
"최초" 리더 사명감 사용 설명서
"최초" 사명감 사용 설명서
최보규 리더사명감 코칭전문가
BOOKK
최보규
리더사명감 코칭전문가
nice5889@naver.com
★ 20,000 / 7G / 2,000 / 7,000 / 100 / 50 / 6,000 / 45 / 320 / 15 숫자가 말해주는 사람!

대한민국 99%가 책 쓰기, 출간하는 방법만
교육, 코칭 한다!
책 쓰기, 출간 기술력을 교육, 코칭 하는 곳은
방탄book뿐이다.

방법만 배우면 평생
움직여서 돈을 벌어야 하지만
기술력을 배우면 움직이지 않아도
돈을 벌수 있는 자동 시스템을 만든다.

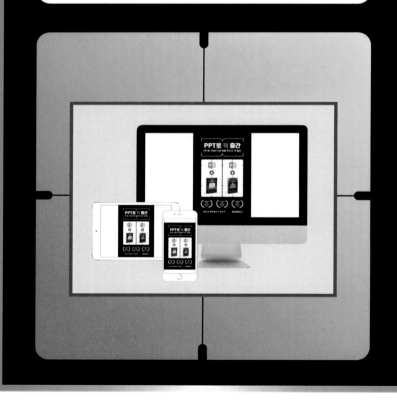

날개 표지 디자인 샘플

날개 표지 이미지

⑤ ④ ③ ② ①

출간한 책 이미지

날개 표지 디자인 설명과 날개 표지 디자인 제작했던 샘플을 보니 어떤 생각이 드는가?

20,000명 심리 상담, 코칭 하면서 쌓인 내공과 종이책 150권, 전자책 250권 총 400권 출간했던 내공으로 당신이 지금 어떤 생각이 들었고 어떤 궁금증이 생기는지 맞혀 보겠다.

"앞에서 늘 강조했던 마우(마우스만 움직일 줄 아는 우주 초보) 실력으로 책 앞면 표지, 책 3D 입체 표지, 책 날개 표지까지 가능하다고? 믿어지지가 않은데? 진짜 마우 실력으로 가능하다면 이건 대박이다. 방탄book기술력은 무조건 배워야 되고 코칭 받고 싶다. 어떤 책 보다 디테일하고 정성스러운 설명들을 보니 최보규 방탄book 코칭전문가님의 삼성(진정성, 전문성, 신뢰성)과 종이책 150권, 전자책 250권 총 400권 출간했던 내공이 느껴진다. 혼자서도 할 수 있는 설명인데... 아무리 쉬운 설명이라도 혼자 하기가 쉽지 않을 거 같은데..."

단언컨대 책 쓰기, 책 출간 그 어떤 책도 이렇게까지 디테일하고 쉽게 따라 할 수 있게 설명을 해놓은 책이 없다. 그래서 이 책 보는 사람이라면 천재일우(천 년에 한 번 만난다는 뜻으로 좀처럼 만나기 어려운 기회) 온 것이니 조상에서 감사하고 “내가 인생을 지금까지 잘 살아서 이런 기회가 오는구나.”라는 마음으로 제대로 배우길 바란다.

아무리 쉬운 것도 처음 시도하는 것은 우주에서 가장 어려운 것이다. 사용 설명서만 들어도 척척척 하는 사람은 극히 드물다. 대부분 사람들은 하는 방법을 직접 설명을 들어야만 제대로 한다는 것이다.

시간, 돈 낭비를 줄이는 최고의 방법은 한번 배울 때 검증된 전문가에게 제대로 배우는 것이다.

ONLY ONE
"80억 분의 1 검증된 전문가"
특허청 등록
최보규 자기계발코칭 창시자
등록 번호: 제 40-2072344 호
특허청 등록
최보규 강사책출간 코칭전문가
등록 번호: 제 40-2200794 호
특허청 등록
최보규 리더동기부여 코칭전문가
등록 번호: 제 40-2128786 호
대한민국 강사 섭외 NO1 '강사야'
'강사야' "대표 일타 강사 최보규"
GANGSAYA
강사섭외
최보규
로그인
회원가입
전체분야
강사프로필
섭외문의
분야별특강
커뮤니티
추천강사
최보규강사
특허청 등록으로 검증된 강사!
방탄 동기부여/리더십/자기계발
동기부여/리더십/자기계발 업데이트!
저서 100권의 내공을 통한 세계 최초 1+4를 주는 가성비 강사!
(강의메세지+즐거움+스토리텔링+실천 사용 설명서 제공)
Google 자기계발아마존
YouTube 방탄자기계발
NAVER 강사야
NAVER 최보규

20,000명 심리 상담, 코칭으로 알게 된
20,000명이 바라는 책 쓰기, 책 출간 교육, 코칭

10가지

1 한번 출간한 책으로 평생 활용하는 방법을 알려주는 교육, 코칭

2 로또 2등과 같은 기획출판을 하기 위해서 출판기획서 제작 스트레스, 거절 메일을 확인 하는 스트레스, 370가지 스트레스... 등 마음고생 덜 하고 책 출간할 수 있는 책 쓰기 교육, 코칭

3 책 활용 수입 창출 시스템 교육을 검증 된 전문가에게 한 곳에서 시간, 돈 낭비를 줄여주는 책 쓰기 교육, 코칭

4 한번 코칭으로 100년 a/s, 피드백, 관리해주는 책 쓰기 교육, 코칭

5 책 출간 후 자신 분야 삼성(진정성, 전문성, 신뢰성)을 높여 자신 분야 내공, 가치, 몸값까지 올릴 수 있는 책 쓰기 교육, 코칭

6 출간한 책으로 강사가 되어 은퇴 후 제2의 직업을 할 수 있는 책 쓰기 교육, 코칭

7 책 출간 후 자신 분야 코칭 전문가가 되어 은퇴 후 제3의 직업까지도 할 수 있는 책 쓰기 교육, 코칭

8 책 출간 후 온라인 콘텐츠까지 제작을 해서 비수기 없는 책 쓰기 교육, 코칭

9 책 출간 후 디지털 콘텐츠까지 제작을 해서 월세, 연금성 수입까지 발생시킬 수 있는 책 쓰기 교육, 코칭

10 책 한 권 출간하고 끝나는 것이 아니라 100년 동안 책을 무한대로 출간 할 수 있는 책 쓰기, 책 출간 기술력을 교육, 코칭

방탄 book

책 쓰기, 책 출간 교육, 코칭은 누구나 한다.
6가지 수입 창출 책 쓰기, 책 출간 교육, 코칭은 방탄BOOK 창시자 뿐이다.

20,000명 심리 상담, 코칭으로 알게 된
20,000명이 바라는 책 쓰기, 책 출간 교육, 코칭
방 탄 book
10가지
방 탄 book
방 탄 book
www.방탄book.com
NAVER 방탄book출판사
세계에서 20,000명이 바라는
책 쓰기, 책 출간 교육, 코칭 10가지를
할 수 있는 곳은
방탄book출판사 뿐이다!

PPT에서 표지 날개 디자인

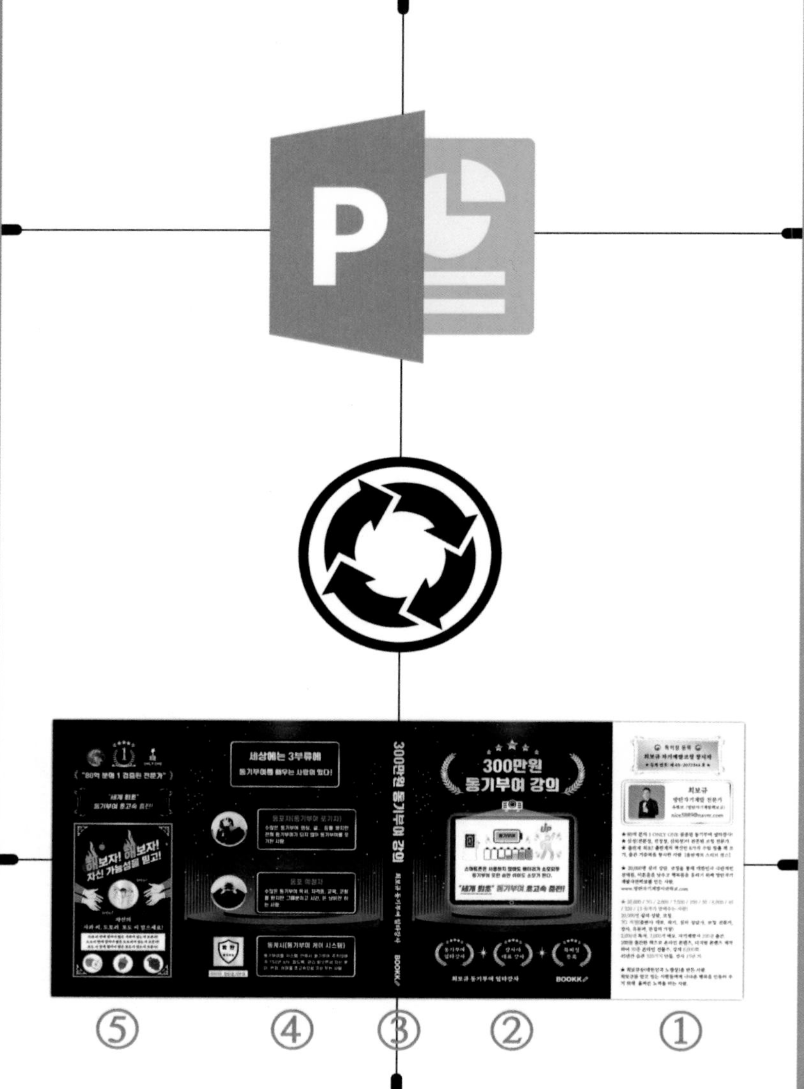

8. PPT에서 표지 날개 디자인

망고보드에서 책 앞면 표지 디자인을 제작하면 책날개 표지도 망고보드에서 해결을 할 수 있지만 마우(마우스만 움직일 줄 아는 우주 초보)들을 위해서 PPT에서 표지 날개 디자인하는 방법을 설명하겠다.

표지도 PPT에서 만들 수 있다. 하지만 저작권 문제, 디자인 퀄리티(Quality) 저하로 인해 표지 디자인은 무료인 미리캔버스, 캔바(Canva), 유료인 망고보드에서 만들길 바란다. PPT에서 책 표지 디자인을 퀄리티(Quality) 있게 제작하려면 PPT실력이 상급은 되어야 한다.
PPT실력이 마우라면 필자처럼 유료인 망고보드에서 퀄리티(Quality)있는 디자인을 전문가처럼 만들 수 있다.

《300만원 동기부여 강의》 책으로 책날개 디자인을 하나씩(①번 ~ ⑤번 제작) 만들었다는 가정 하에 설명하겠다.

PPT에서 표지 날개 디자인

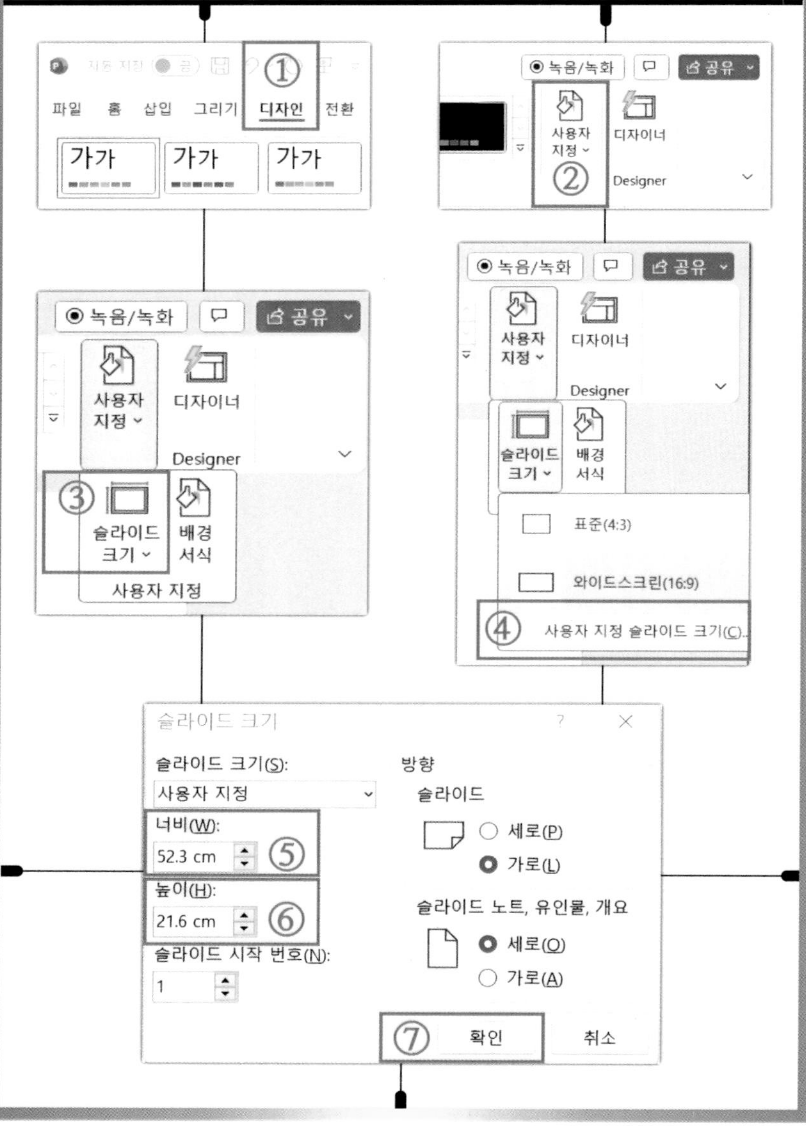

① 디자인
② 사용자 지정
③ 슬라이드 크기
④ 사용자 지정 슬라이드 크기
⑤ 너비 52.30cm (책 표지 날개 전체 너비 5,230mm)
⑥ 높이 21.6cm (책 표지 날개 전체 높이 2,160mm)
⑦ 확인 누르면 너비 52.30cm * 높이 21.6cm의 슬라이드 박스가 생긴다.

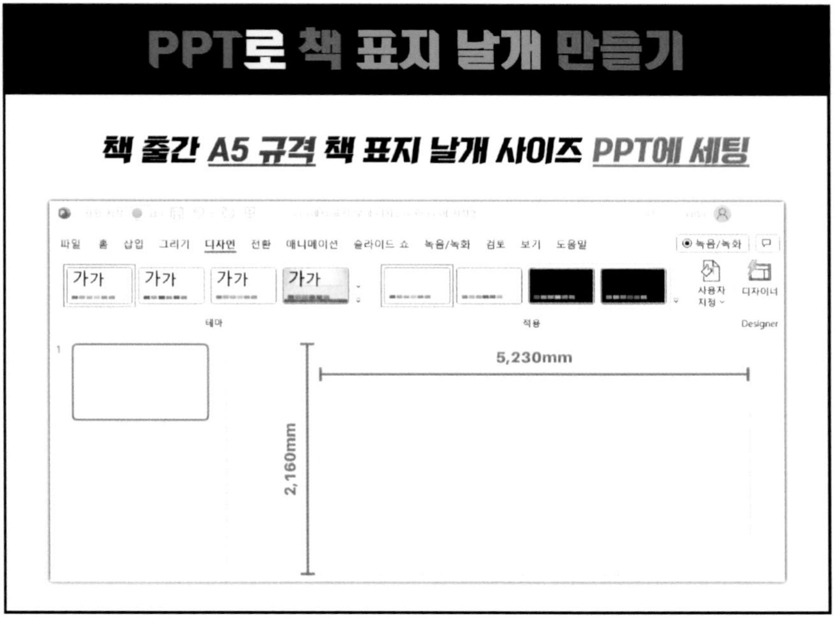

PPT에서 표지 날개 디자인

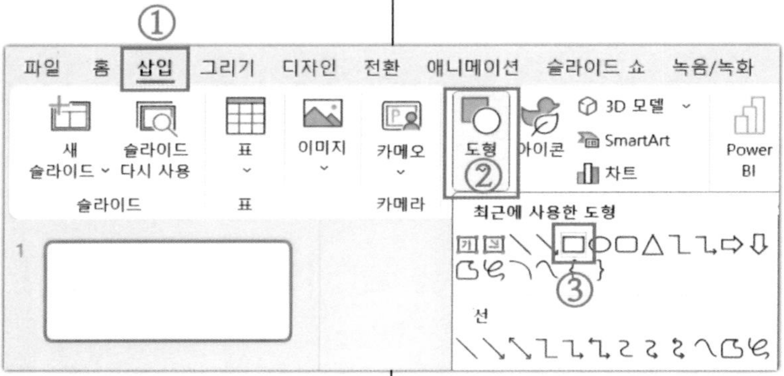
①
파일
홈
삽입
그리기
디자인
전환
애니메이션
슬라이드 쇼
녹음/녹화
새 슬라이드
슬라이드 다시 사용
표
이미지
카메오
도형
아이콘
3D 모델
SmartArt
차트
Power BI
②
슬라이드
표
카메라
최근에 사용한 도형
③
선

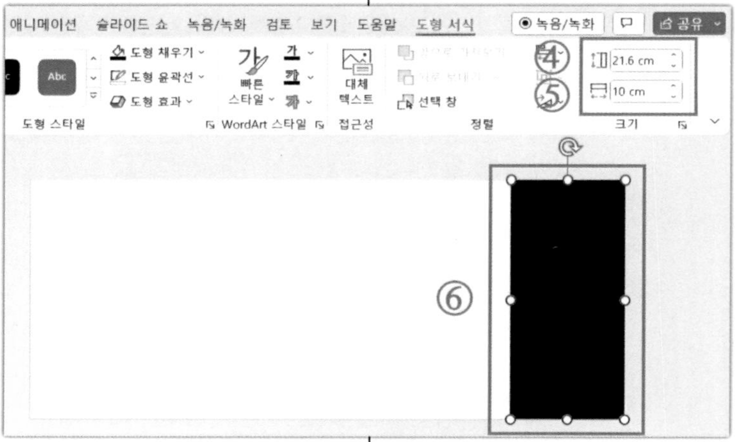
애니메이션
슬라이드 쇼
녹음/녹화
검토
보기
도움말
도형 서식
녹음/녹화
공유
Abc
도형 채우기
도형 윤곽선
도형 효과
빠른 스타일
대체 텍스트
선택 창
④
⑤
21.6 cm
10 cm
도형 스타일
WordArt 스타일
접근성
정렬
크기
⑥

① 삽입
② 도형
③ 직사각형
④ 높이 (21.6cm)
⑤ 너비 (10cm)
⑥ 종이책 표지 날개(작가 소개, 작가 스펙, 책의 내공, 책의 가치, 책의 값어치)를 디자인할 수 있는 직사각형이 만들어진다.

PPT에서 표지 날개 디자인

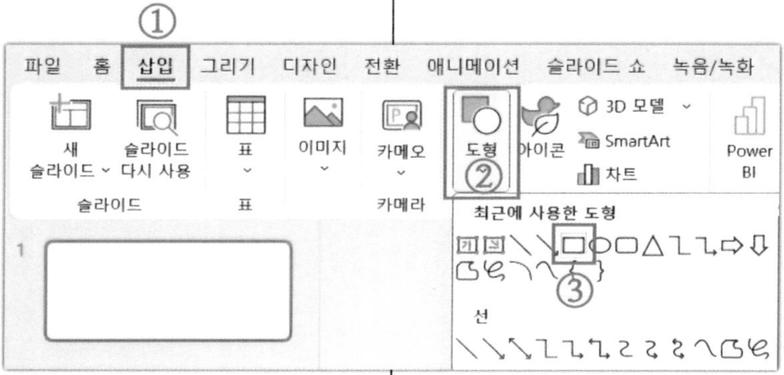

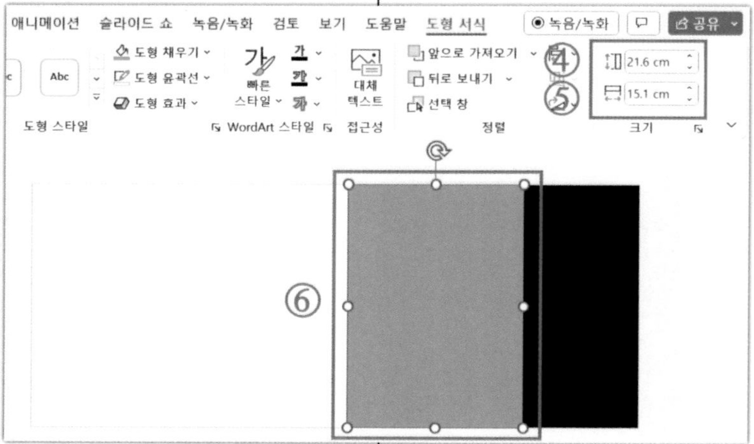

① 삽입
② 도형
③ 직사각형
④ 높이 (21.6cm)
⑤ 너비 (15.1cm)
⑥ 종이책 표지 날개의 앞표지(책 제목, 핵심 문구, 핵심 디자인, 다른 책과 다른 디자인)를 디자인할 수 있는 직사각형이 만들어진다.

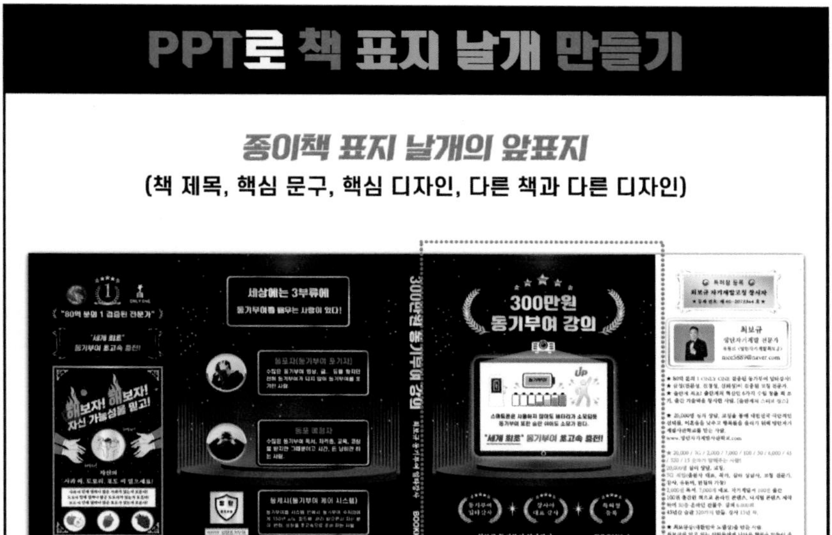

PPT에서 표지 날개 디자인

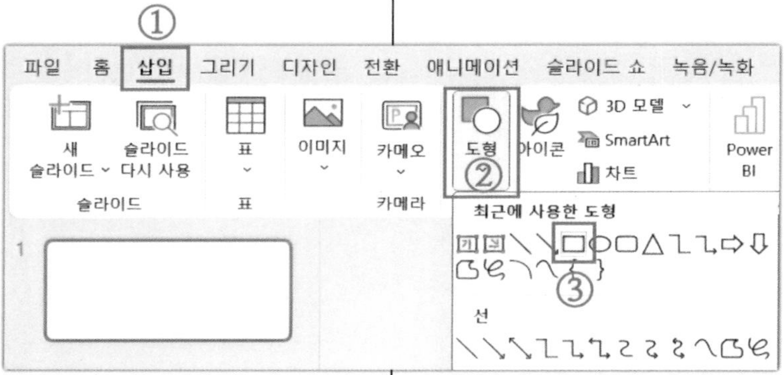

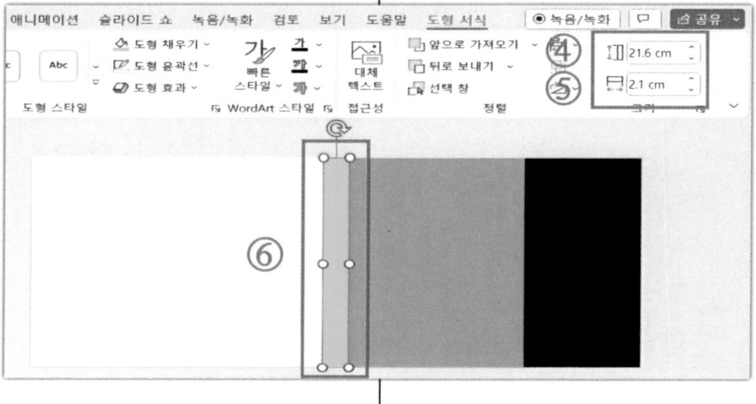

① 삽입

② 도형

③ 직사각형

④ 높이 (21.6cm)

⑤ 너비 (2.1cm)

⑥ 종이책 표지 날개의 책등(책 제목, 저자, 출판사 로고)을 디자인할 수 있는 직사각형이 만들어진다.

PPT에서 표지 날개 디자인

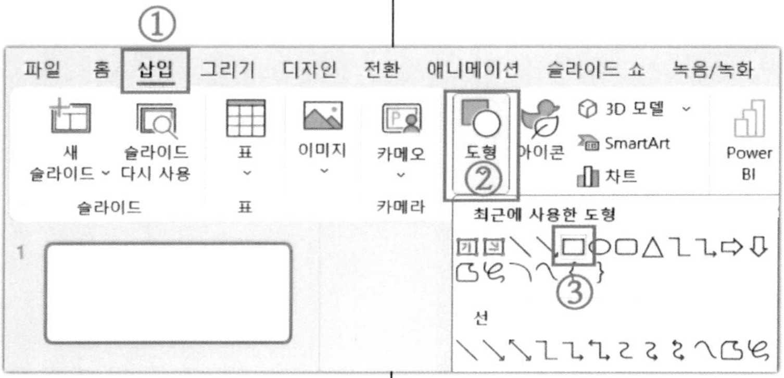

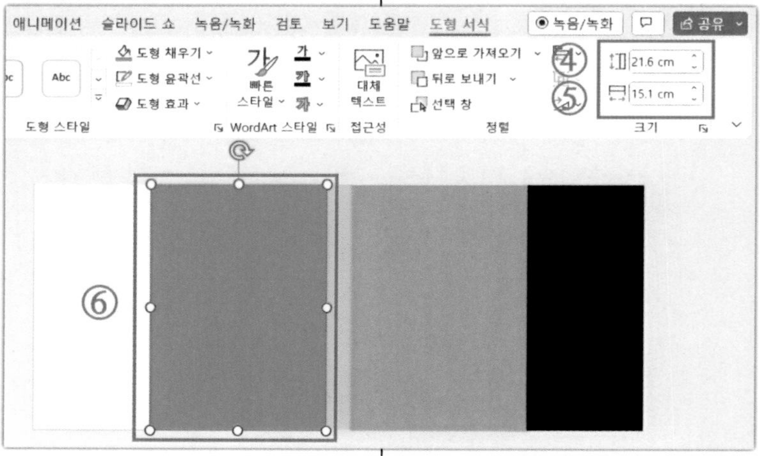

① 삽입
② 도형
③ 직사각형
④ 높이 (21.6cm)
⑤ 너비 (15.1cm)
⑥ 종이책 표지 날개의 표지 뒷면(앞면 표지 디자인 내용을 받쳐주는 디자인)을 디자인할 수 있는 직사각형이 만들어진다.

PPT에서 표지 날개 디자인

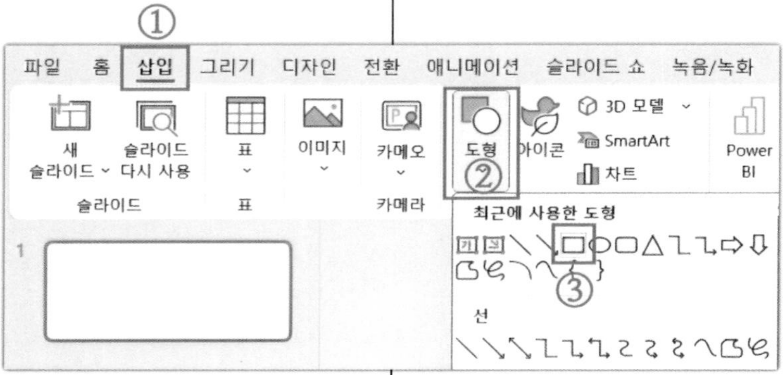

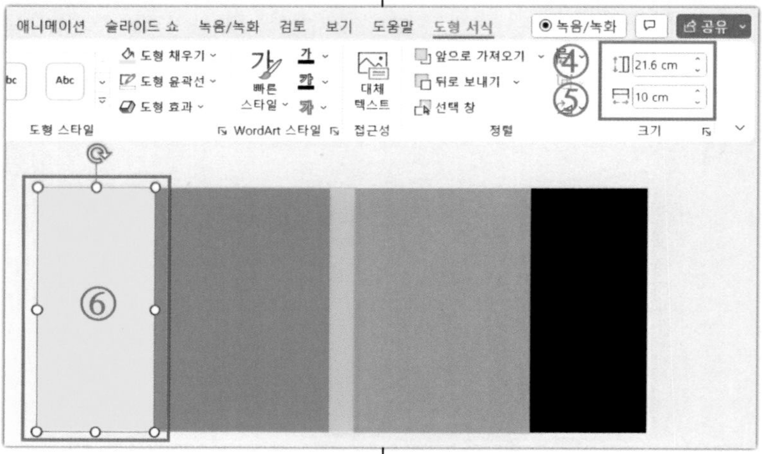

① 삽입

② 도형

③ 직사각형

④ 높이 (21.6cm)

⑤ 너비 (10cm)

⑥ 종이책 뒷면 표지 날개(책의 가치를 높여주는 디자인)를 디자인할 수 있는 직사각형이 만들어진다.

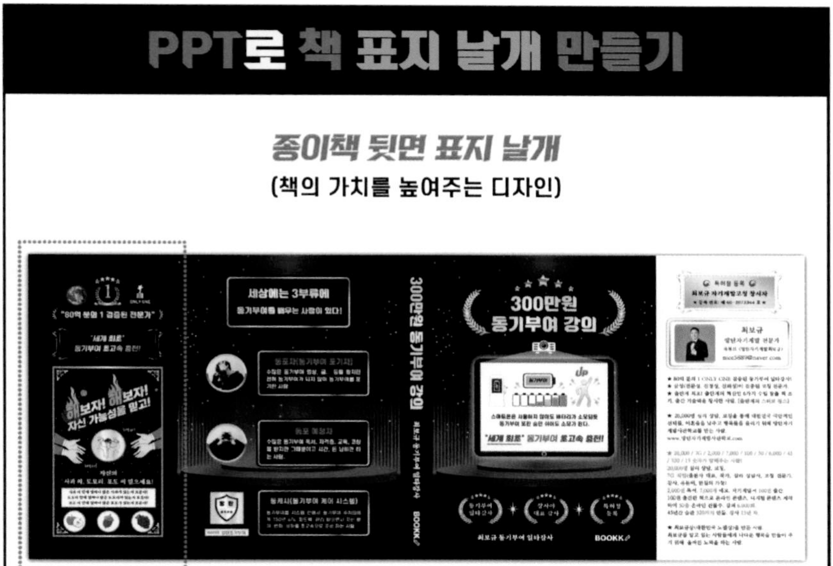

PPT에서 표지 날개 디자인

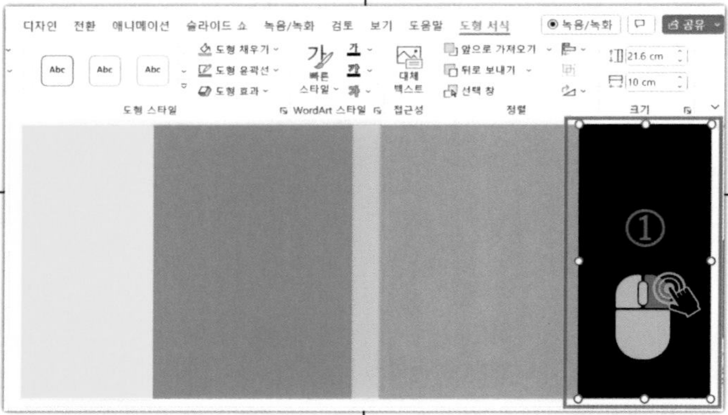

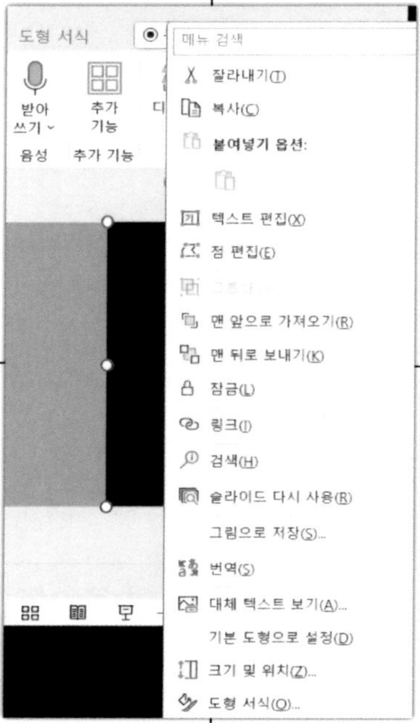

① 책날개 표지 도형을 클릭하고 오른쪽 마우스를 클릭한다.
② 크기 및 위치.

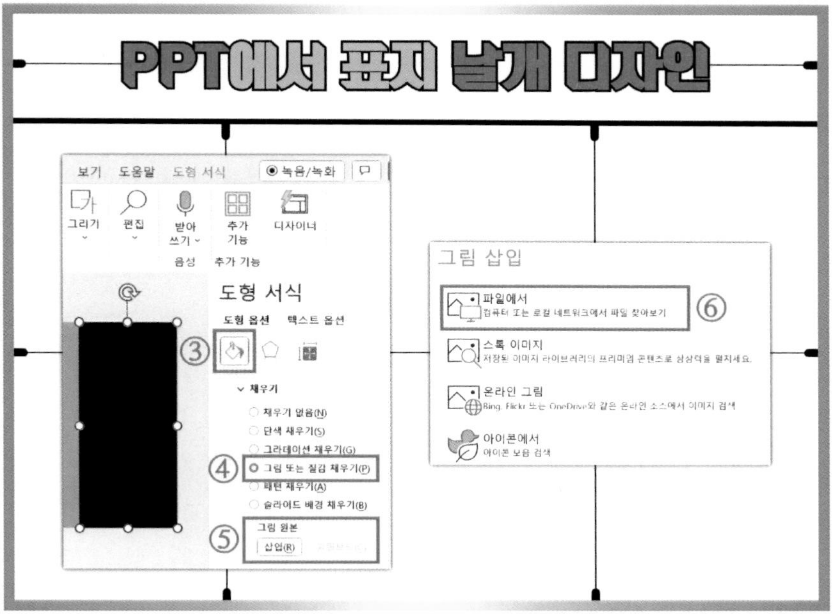

③ 채우기 및 선
④ 그림 또는 질감 채우기
⑤ 삽입
⑥ 파일에서(컴퓨터 또는 로컬 네트워크에서 파일 찾아보기. #. 책 앞면 표지 만들었던 폴더에서 이미지 삽입.

PPT에서 표지 날개 디자인

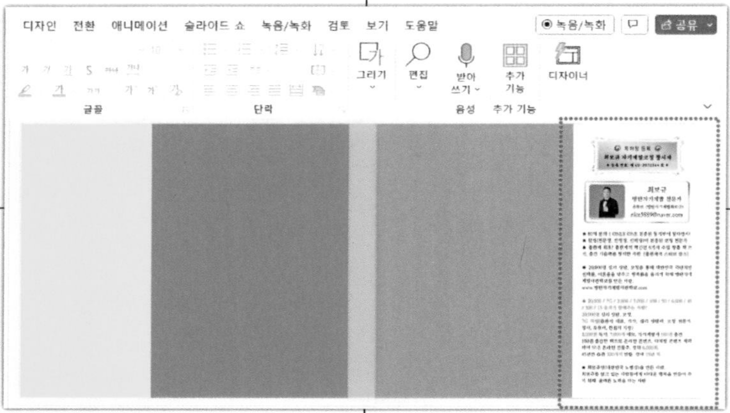

쉬운 것도 모르면
우주에서 가장 어려운 것이 되고
알고 나면
우주에서 가장 쉬운 것이 된다.
80억 분의 1 검증된 전문가
(종이책 150권, 전자책 250권 총 400권 출간)
"우주 최초 우주 책임감!"
150년 a/s, 관리, 피드백
방탄book기술력 코칭
150년 a/s, 관리,
피드백 받으세요!
저거다!
방탄book기술력
Google 자기계발아마존
YouTube 방탄자기계발
NAVER 방탄book출판사
NAVER 최보규

PPT에서 표지 날개 디자인

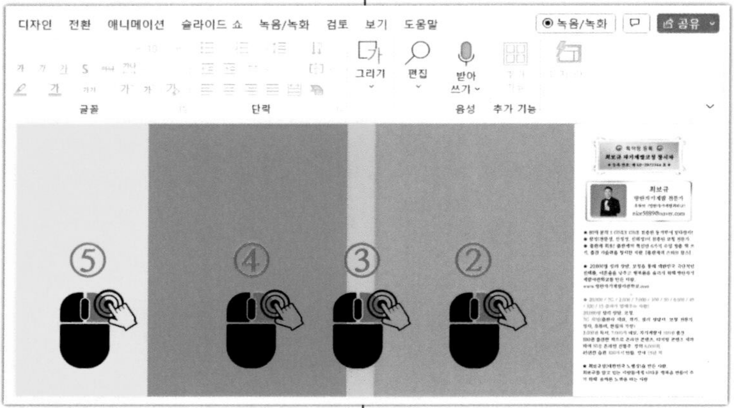

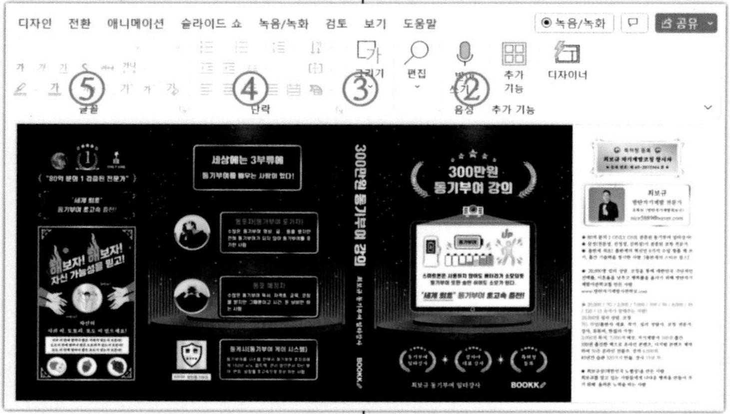

앞에서 동일한 방법으로 ②, ③, ④, ⑤또한 똑같은 방법으로 책날개 표지 도형을 클릭하고 오른쪽 마우스를 클릭 → 크기 및 위치 → 채우기 및 선 → 그림 또는 질감 채우기 → 삽입 → 파일에서(컴퓨터 또는 로컬 네트워크에서 파일 찾아보기. #. 책 앞면 표지 만들었던 폴더에서 이미지 삽입.

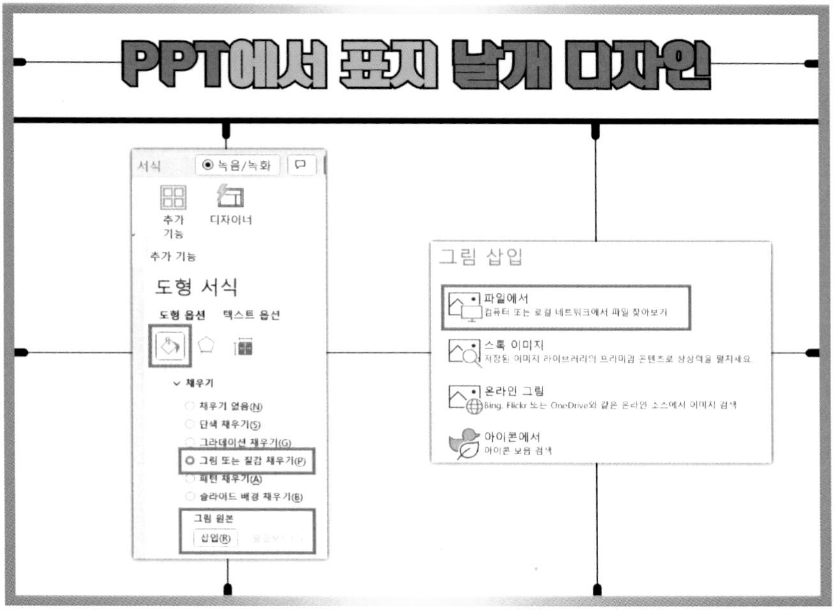

인쇄용 이미지 해상도 300dpi 다운로드

ppt에서 책 표지 날개 디자인을 완료했다면 이제는 인쇄용 이지지로 다운로드를 해야 한다. 부크크출판사에 등록을 할 때 인쇄용 이미지 300dpi로 다운로드를 해서 등록을 해야지만 승인이 된다. ppt기본 해상도는 96dpi로 설정되어 있어서 인쇄 품질에 맞지가 않는다. 그래서 인쇄 기본 품질에 맞는 300dpi로 다운로드해야 한다.

다음으로 나오는 dpi 설명한 내용과 인쇄용 이미지 300dpi 다운로드하는 방법을 참고하자.

파워포인트 이미지 해상도, 크기 설정 방법
웹용 이미지 72dpi
(유튜브 썸네일, 상세페이지, 커뮤니티 게시판 등)
(단위: Pixrl)
인쇄용 이미지 300dpi
(명함, 라벨, 액자, 머그컵, 현수막 등.)
(단위: mm 또는 cm)
PPI = Pixel Per Inch - 디스플레이에서 사용
DPI = Dot Per Inch - 프린터 스캐너 등에서 사용
표현은 다르지만 보통 같은 단위로 사용됩니다.

<유튜브 PPT 디자인, 증증이는 작업중>

ppt 해상도 고화질 설정 및 파워포인트 이미지 저장.
파워포인트는 기본 해상도가 96dpi로 설정되어 있습니다. 인쇄용 이미지인 300dpi로 저장하는 방법을 알려드리겠습니다.

1. 윈도우키 + R 버튼을 누르면 실행 창을 띄운다.
2. regedit 이라고 입력하고 확인.
3. 레지스트리 편집 창이 뜨면
HKEY_CURRENT_USER 선택
4. SOFTWARE > Microsoft > Office > 파워포인트 숫자에 따른 버전 선택(파워포인트 2016 버전이면 16.0 으로 나온다.) > Powerpoint > Options

5. Options(옵션)누르면 창이 나온다.
마우스 우클릭 후 새로 만들기에서 DWORD(32비트) 값(D) 선택
6. 마우스 우클릭 이름 바꾸기.
ExportBitmapResolution 입력.
#. 대문자와 소문자 똑같이 입력.
7. ExportBitmapResolution에 마우스 우클릭을 하고 10진수를 선택한 후 300이라는 값 입력. 창 닫기.

<네이버 블로그 With PPT 요모조모>

위에 설명을 듣고 한 번에 따라 하는 사람들은 마우(마우스만 움직일 줄 아는 우주 초보)가 아닐 것이다. 하지만 우리 마우들은 아무리 쉬워도 우주에서 가장 어려운 것이 되어 버린다. 하지만 걱정 말아라! 필자가 누구인가? 세계 최초로 방탄book기술력을 창시한 전문가이다. 필자도 마우 시절이 있었고 20,000명 심리 상담, 코칭하면서 알게 된 마우들의 고충을 알고 있다. 그 누구보다 마우들의 아픔, 힘듦을 알기에 유치원생들도 알 수 있는 이미지로 설명을 해주겠다. 그래서 이 책 보는 사람이라면 천재일우(천 년에 한 번 만난다는 뜻으로 좀처럼 만나기 어려운 기회) 온 것이니 조상에서 감사하고 "내가 인생을 지금까지 잘 살아서 이런 기회가 오는 구나"라는 마음으로 제대로 배우길 바란다.

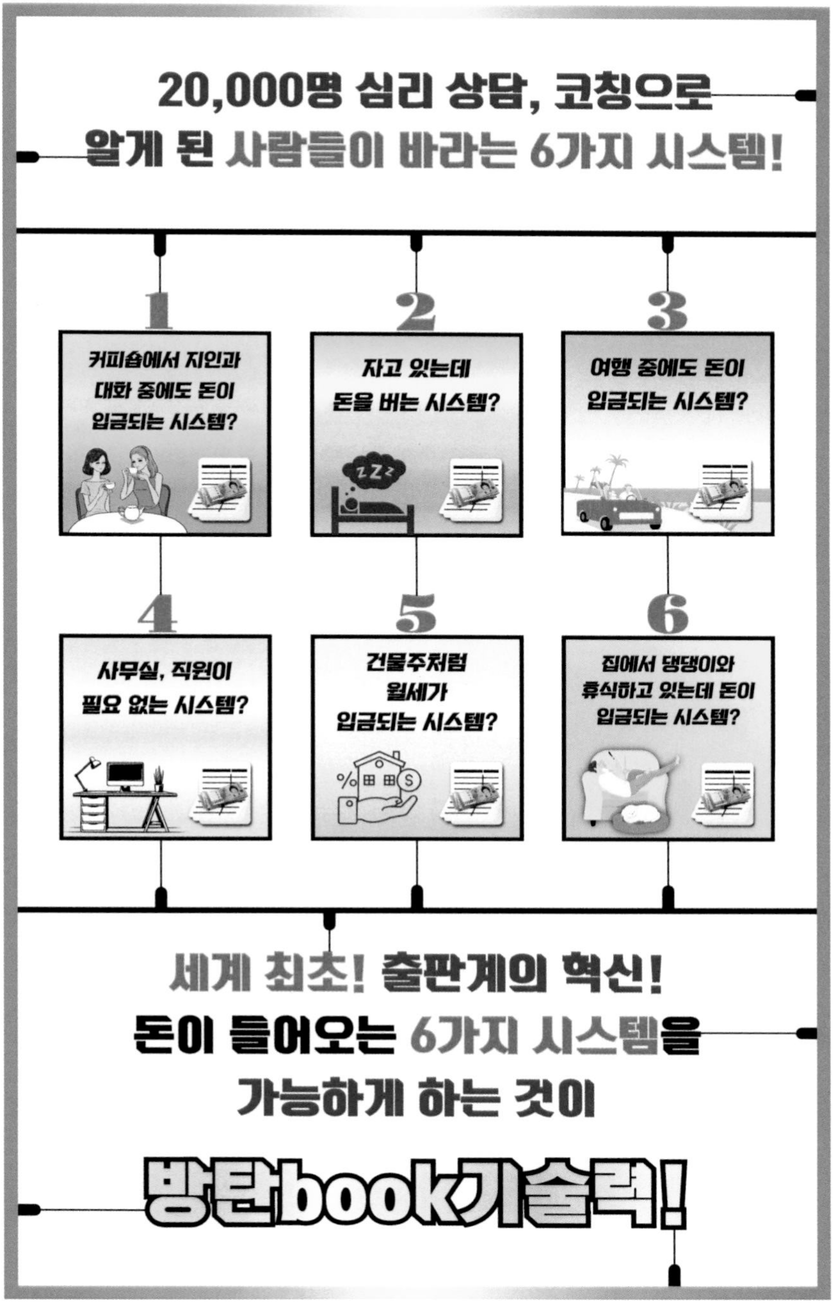
20,000명 심리 상담, 코칭으로
알게 된 사람들이 바라는 6가지 시스템!
1
커피숍에서 지인과 대화 중에도 돈이 입금되는 시스템?
2
자고 있는데 돈을 버는 시스템?
3
여행 중에도 돈이 입금되는 시스템?
4
사무실, 직원이 필요 없는 시스템?
5
건물주처럼 월세가 입금되는 시스템?
6
집에서 댕댕이와 휴식하고 있는데 돈이 입금되는 시스템?
세계 최초! 출판계의 혁신!
돈이 들어오는 6가지 시스템을
가능하게 하는 것이
방탄book기술력!

인쇄용 이미지 해상도 300dpi 설정

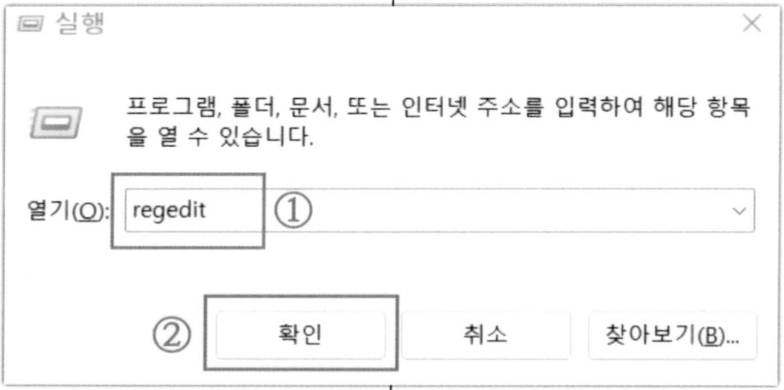

#. 윈도우키 + R 버튼을 누르면 실행 창을 띄운다.

① regedit 이라고 입력.

② 확인.

③ HKEY_CURRENT_USER → SOFTWARE → Microsoft → Office → 파워포인트 숫자에 따른 버젼 선택(파워포인트 2016 버전이면 16.0으로 나온다.) → Powerpoint → Options

인쇄용 이미지 해상도 300dpi 설정

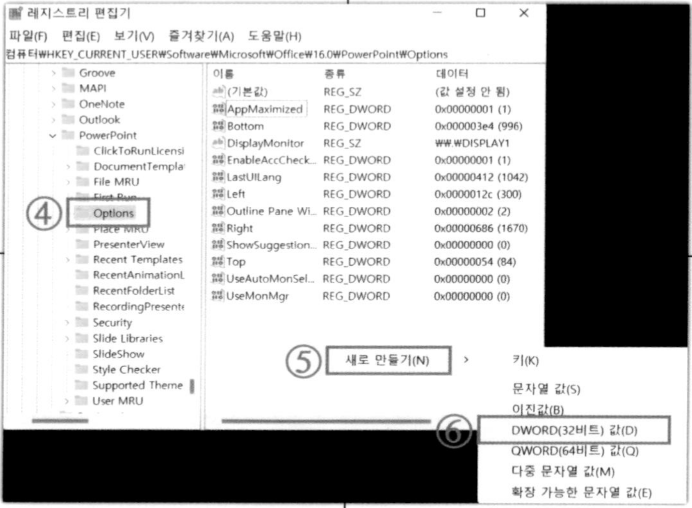

④ Options

⑤ 마우스 우클릭 후 새로 만들기

⑥ DWORD(32비트) 값(D) 선택

⑦ 마우스 우클릭 이름 바꾸기.

ExportBitmapResolution 입력.

#. 대문자와 소문자 똑같이 입력.

인쇄용 이미지 해상도 300dpi 설정

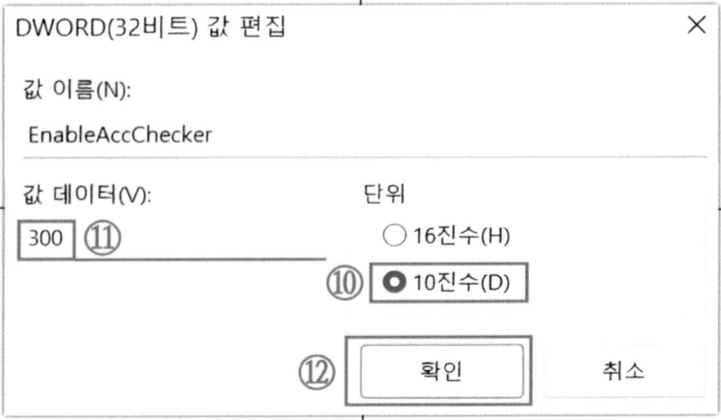

⑧ ExportBitmapResolution에 마우스 우클릭

⑨ 수정

⑩ 10진수 체크

⑪ 300입력

#. PPT에서 → 파일 → 다른 이름으로 저장 → 이PC → 파일 형식에서 JPEG 파일 교환 형식 → 저장하면 인쇄용 이미지인 300dpi가 만들어진다.

PPT로 전자책 만들기 매뉴얼

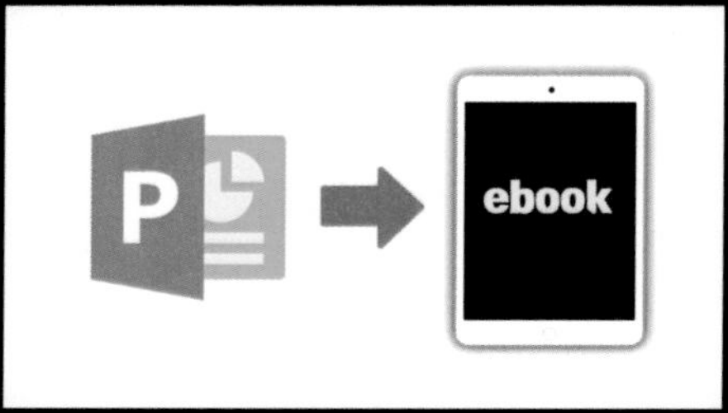

움직이지 않아도 수입을 발생시킬수 있는 것이 전자책이다. 자는 동안에도 수입이 발생한다. 여행 중에도 수입이 발생한다. 커피숍에서 지인들과 수다를 떨고 있을 때도 수입이 발생한다. 장거리 운전 중에도 수입이 발생한다. 월세, 연금성 수입을 발생시키는 전자책은 선택이 아닌 필수다. 이제 당신도 PPT로 전자책을 5분 안에 만들 수 있다.

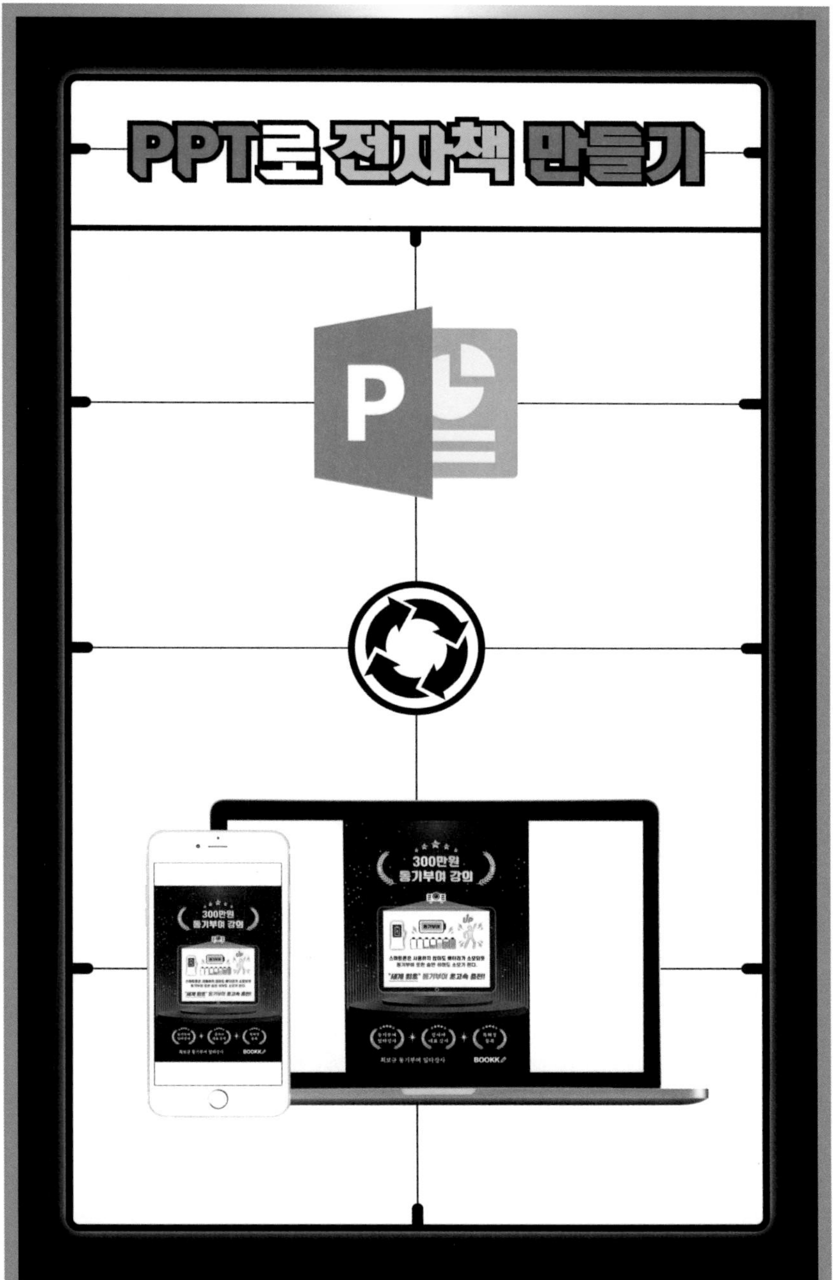

PPT로 전자책 만들기
300만원
동기부여 강의
BOOKK

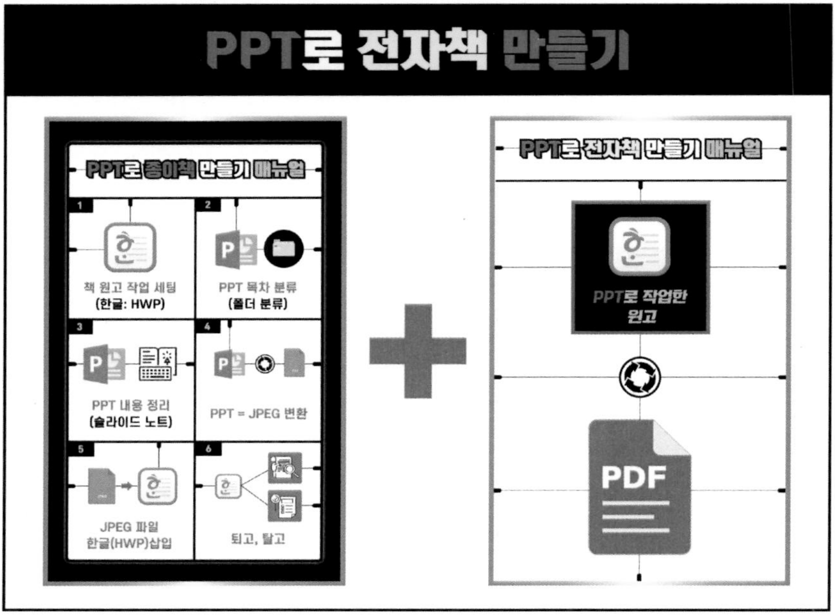

PPT로 전자책을 만드는 순서는 PPT 종이책 만들기 매뉴얼 6단계로 작업한 원고로 전자책을 출판사에 등록할 PDF 원고를 만들 수 있다.

▶ PPT로 전자책 만들기 순서.

① 책 원고 작업 세팅.

(한글(HWP)에 종이책 기본 규격 세팅)

② PPT에 있는 목차 개수에 맞게 PPT 나누기.

(예시: 목차 1 ~ 목차 5 / PPT 5개)

③ 슬라이드 한 장씩 내용 정리하기.

(슬라이드 노트의 내용에 내용 설명 정리)

④ PPT를 JPEG 파일로 변환.
(PPT를 이미지 파일로 변환)

⑤ JPEG 파일을 한글(HWP)에 정리한 내용(슬라이드 노트 내용)과 함께 삽입.

⑥ 퇴고, 탈고.
(종이책 출간을 위한 최종 점검)

⑦ 퇴고, 탈고가 끝난 한글 원고(HWP)를 PPT로 변환하여 전자책(PDF) 원고 만들기.

PPT로 작업한 원고를 만들면 종이책 출간, 전자책(PDF)을 출간해서 수입을 극대화할 수 있다는 것이다.

▶ 당신은 어떤 것을 선택할 것인가?

1. 종이책만 출간한다. (1가지 수입만 발생)
2. 전자책(PDF)만 출간한다. (1가지 수입만 발생)
3. 종이책, 전자책(PDF)울 동시에 출간한다. (2가지 수입과 방탄book기술력과 연결을 하면 6가지 수입까지 발생시킬 수 있다.)

그 누구에게 물어봐도 3번을 선택할 것이다. 종이책만 출간할 때보다 전자책을 같이 출간을 하면 여러 가지 수입과 연결을 시킬 수 있다. PPT로 작업한 한글 원고를 전자책(PDF)으로 변환하는 매뉴얼 설명을 시작한다.

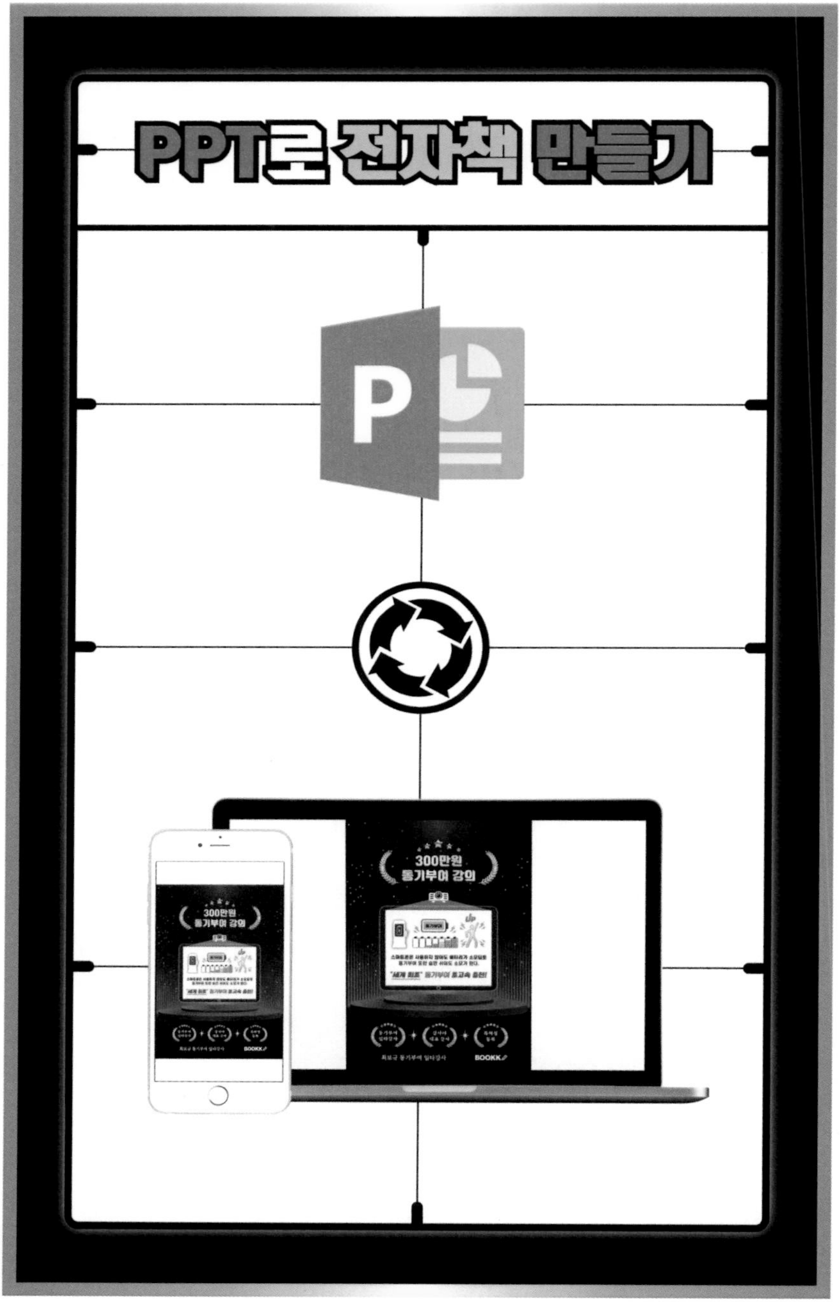
PPT로 전자책 만들기
300만원
동기부여 강의
"세계 최초" 동기부여 토고속 출판!
BOOKK

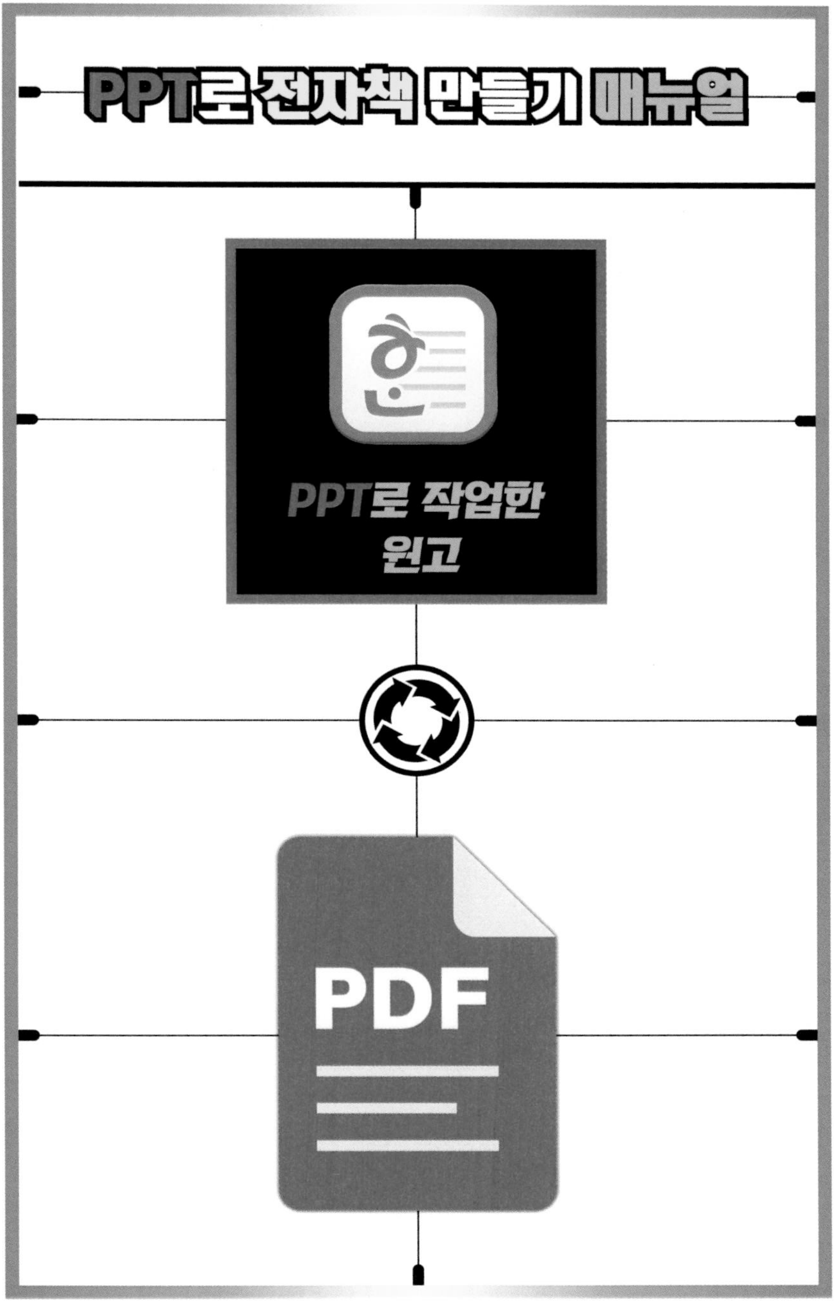
PPT로 전자책 만들기 매뉴얼
PPT로 작업한 원고
PDF

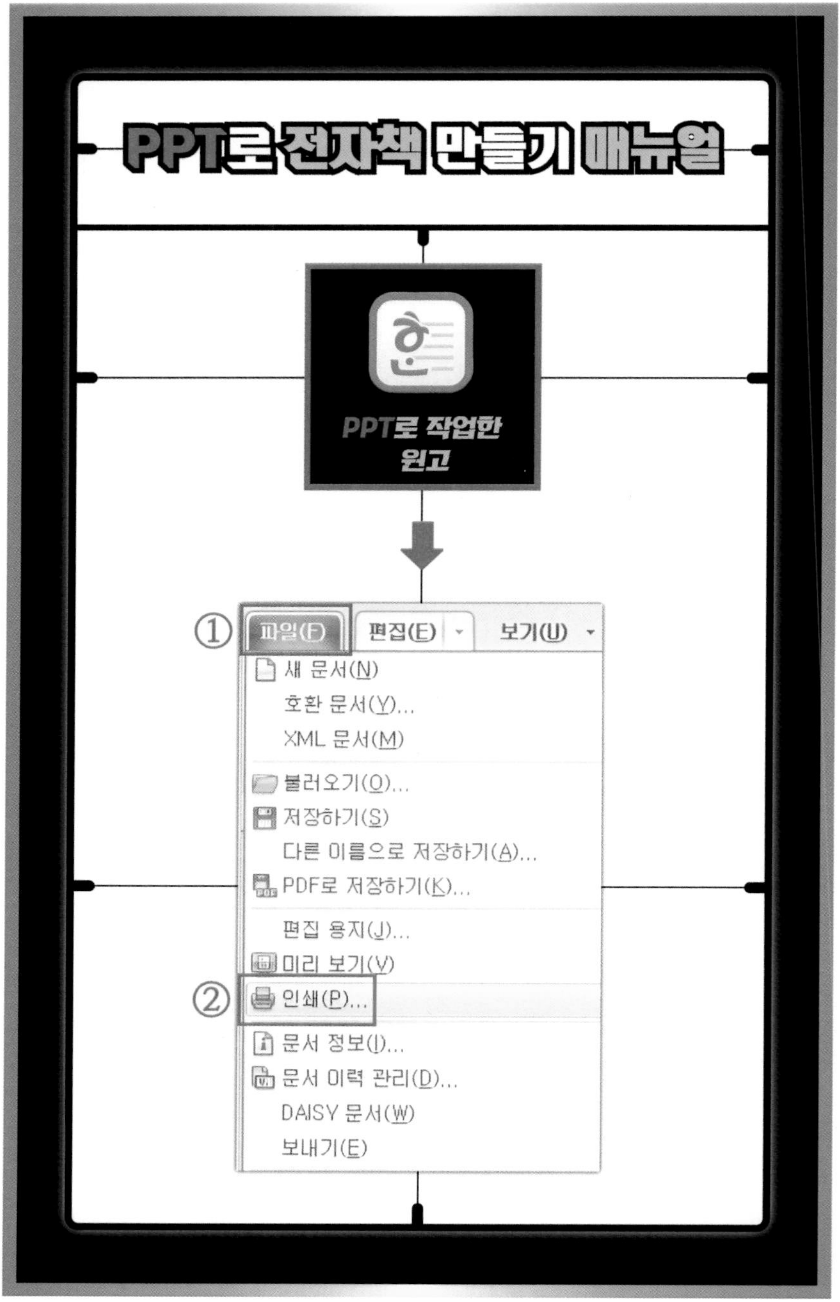
PPT로 전자책 만들기 매뉴얼
PPT로 작업한 원고
①
파일(F)
편집(E)
보기(U)
새 문서(N)
호환 문서(Y)...
XML 문서(M)
불러오기(O)...
저장하기(S)
다른 이름으로 저장하기(A)...
PDF로 저장하기(K)...
편집 용지(J)...
미리 보기(V)
②
인쇄(P)...
문서 정보(I)...
문서 이력 관리(D)...
DAISY 문서(W)
보내기(E)

① 한글(HWP)프로그램 파일. PPT로 작업한 한글 파일 원고에서 파일을 클릭.

② 인쇄. 바로 PDF로 저장하는 것이 아니다. 그 이유는 원고 작업이 끝난 뒤 탈고, 퇴고를 하기 위해서 모아찍기(2쪽씩)로 원고 전체 인쇄를 하여 오타 체크를 했기에 모아찍기(2쪽씩)가 아닌 기본 인쇄로 바꿔줘야만 PDF로 저장 했을 때 한 장에 2페이지가 아닌 한 장에 1페이지씩 나온다.

전자책(PDF)등록 할 때 한 장에 2페이지씩 나오면 승인되지 않는다. 전자책(PDF)은 한 장에 1페이씩 나와야 한다.

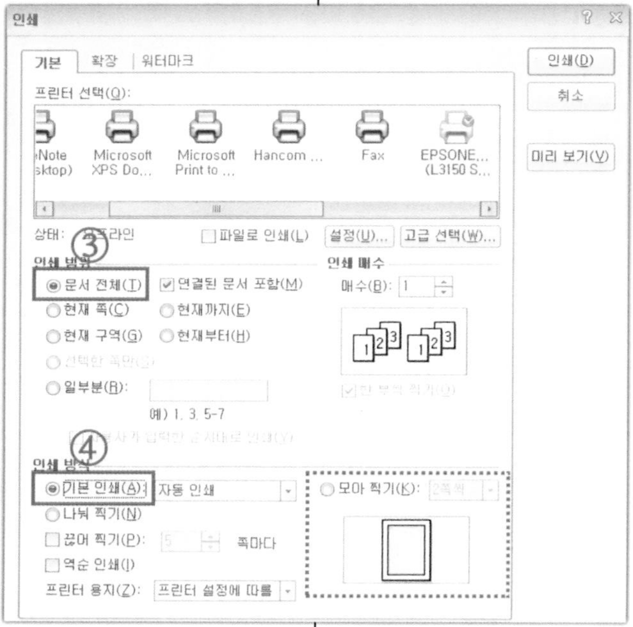
인쇄
기본
확장
워터마크
인쇄(D)
취소
프린터 선택(O):
Microsoft XPS Do...
Microsoft Print to ...
Hancom ...
Fax
EPSONE... (L3150 S...
미리 보기(V)
파일로 인쇄(L)
설정(U)...
고급 선택(W)...
③
인쇄 매수
매수(B): 1
문서 전체(T)
연결된 문서 포함(M)
현재 쪽(C)
현재까지(E)
현재 구역(G)
현재부터(H)
일부분(R):
예) 1, 3, 5-7
④
기본 인쇄(A):
자동 인쇄
모아 찍기(K):
나눠 찍기(N)
끊어 찍기(P):
쪽마다
역순 인쇄(I)
프린터 용지(Z):
프린터 설정에 따름

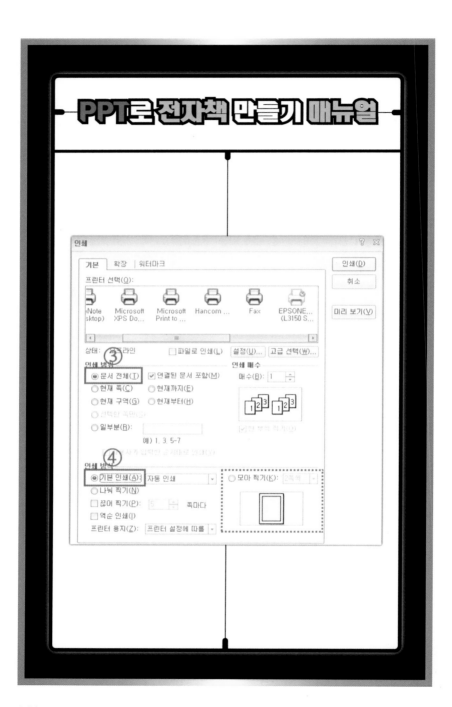

③ 문서 전체.

④ 기본 인쇄. 모아 찍기(2쪽씩)로 체크 되어 있으면 기본 인쇄로 체크한다.

PDF로 저장을 하기 전에 인쇄에 들어가서 모아 찍기가 아닌 기본 인쇄로 해야만 출판사에 전자책 등록이 된다. 처음부터 사소한 것을 잘 지켜야만 시행착오를 줄일 수 있다.

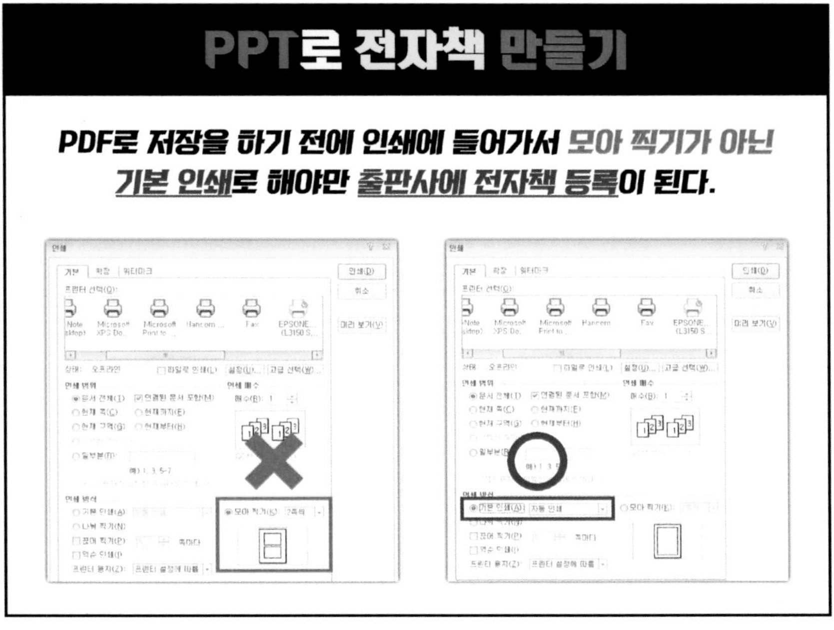

PPT로 전자책 만들기 매뉴얼

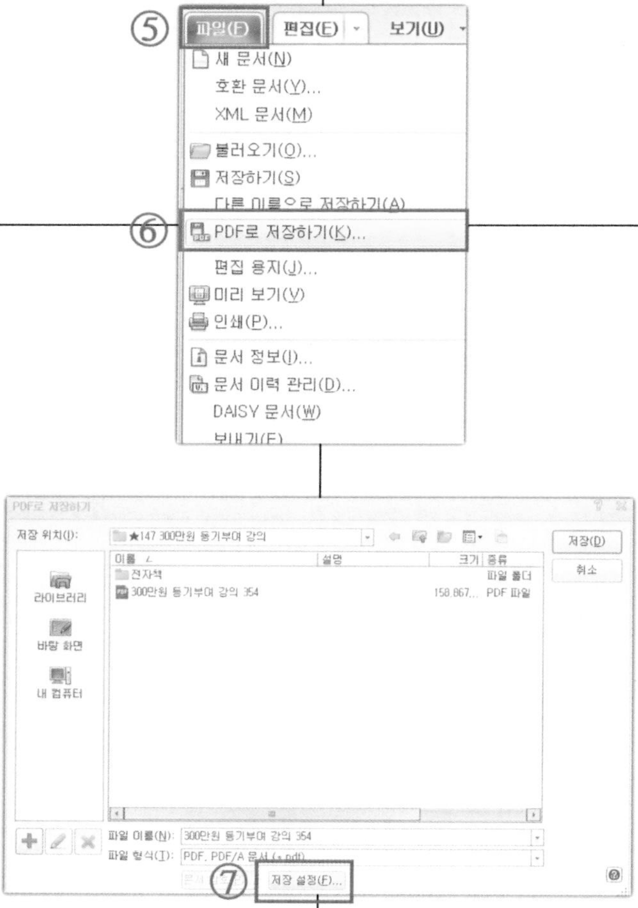

⑤ 파일.
⑥ PDF로 저장하기.
⑦ 저장 설정.

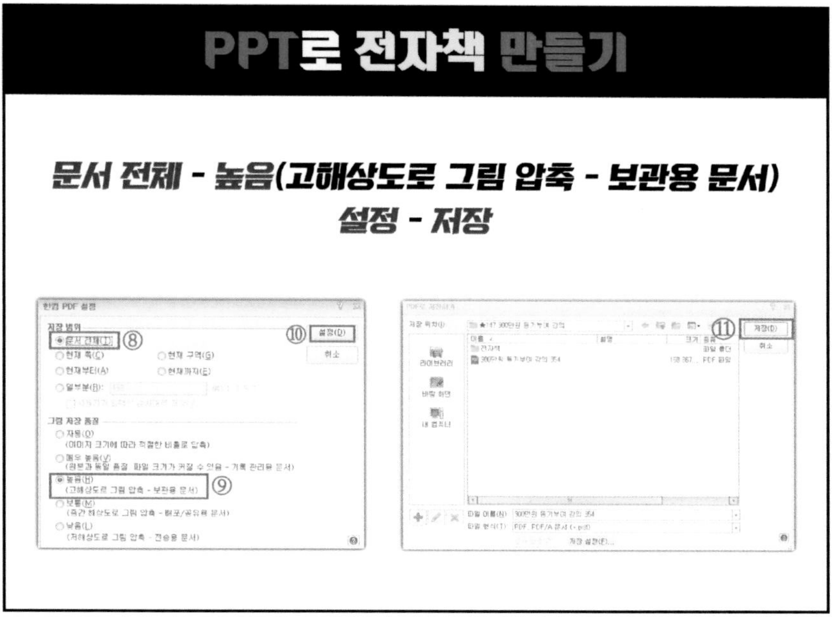

⑧ 문서 전체.
⑨ 높음(고해상도로 그림 압축 - 보관용 문서).
높음으로 저장하면 전자책(PDF)파일 용량이 늘어난다. 전자책(PDF)은 PC, 노트북, 스마트폰으로 보기 때문에 선명도가 낮으면 안 된다.
⑩ 설정.
⑪ 저장.

① ~ ⑪까지 진행하면 전자책을 취급하는 출판사에 등록할 수 있는 전자책(PDF) 원고를 완성한 것이다. 한번 만들어 놓은 전자책(PDF) 원고를 활용해서 21세기 황금알을 낳는 거위라는 무인 자동 시스템을 만들 수 있다.

전자책(PDF)으로
움직이지 않아도 수입을 발생 시킬 수 있다면?
자는 동안에도 수입이 발생한다면?
여행 중에도 수입이 발생한다면?
커피숍에서 지인들과 수다를 떨고 있을 때도 수입이 발생한다면?
장거리 운전 중에도 수입이 발생한다면?
월세, 연금성 수입을 발생시키는 전자책은 선택이 아닌 필수다.

은퇴 준비, 노후 준비가 될 수 있는 전자책 등록 매뉴얼 시작한다.

대한민국 99%가 책 쓰기, 출간하는 방법만
교육, 코칭 한다!
6가지 수입 창출 책 쓰기, 출간 기술력을
교육, 코칭 하는 곳은 **방탄book출판사뿐이다.**

방법만 배우면 평생
몸을 움직여서 돈을 벌어야 하지만
방탄book기술력을 배우면 움직이지
않아도 돈을 벌수 있는 자동 시스템을 만든다.

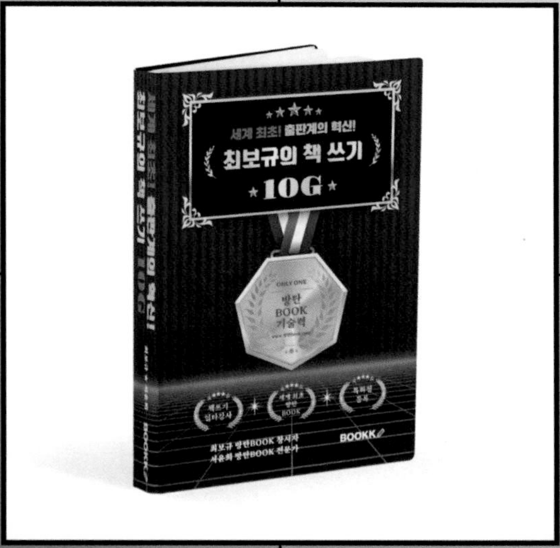

전자책 무료 출간 매뉴얼

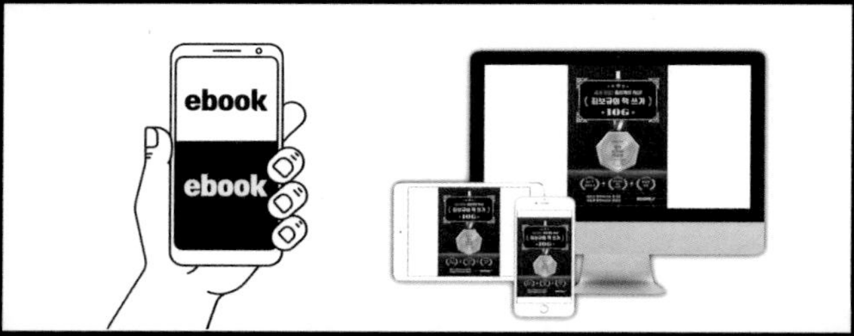

움직이지 않아도 수입을 발생시킬 수 있는 것이 전자책이다. 자는 동안에도 수입이 발생한다. 여행 중에도 수입이 발생한다. 커피숍에서 지인들과 수다를 떨고 있을 때도 수입이 발생한다. 장거리 운전 중에도 수입이 발생한다. 월세, 연금성 수입을 발생시키는 전자책은 선택이 아닌 필수다. 이제 당신도 전자책을 무료로 5분 안에 만들 수 있다.

1. 종이책 만 출간? 2. 전자책 만 출간?
3. 종이책, 전자책 동시에 출간?

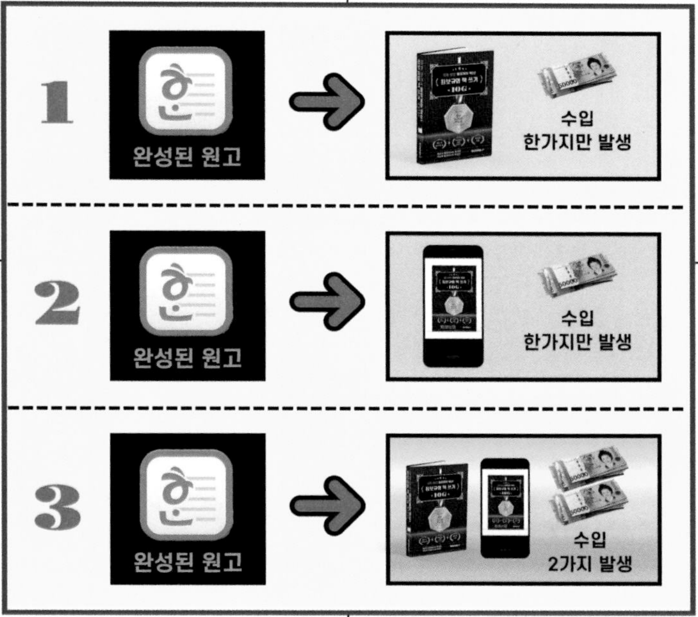

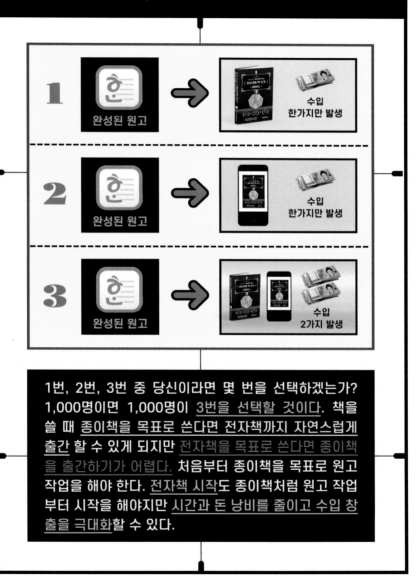

1번, 2번, 3번 중 당신이라면 몇 번을 선택하겠는가? 1,000명이면 1,000명이 3번을 선택할 것이다. 책을 쓸 때 종이책을 목표로 쓴다면 전자책까지 자연스럽게 출간 할 수 있게 되지만 전자책을 목표로 쓴다면 종이책을 출간하기가 어렵다. 처음부터 종이책을 목표로 원고 작업을 해야 한다. 전자책 시작도 종이책처럼 원고 작업부터 시작을 해야지만 시간과 돈 낭비를 줄이고 수입 창출을 극대화할 수 있다.

1. 전자책 원고 작업 세팅.

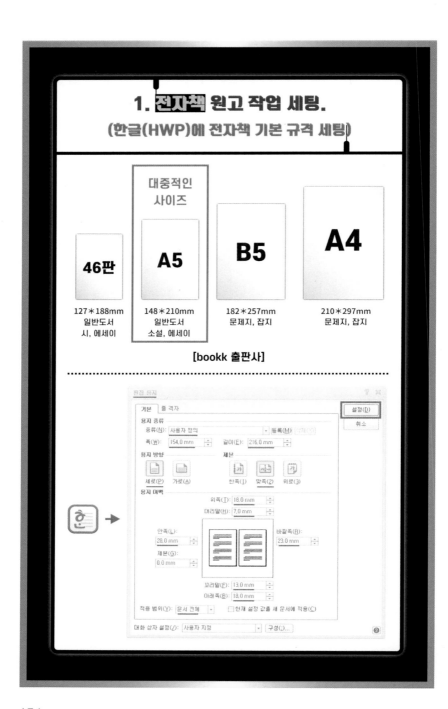

(한글(HWP)에 전자책 기본 규격 세팅)

46판	A5 (대중적인 사이즈)	B5	A4
127＊188mm 일반도서 시, 에세이	148＊210mm 일반도서 소설, 에세이	182＊257mm 문제지, 잡지	210＊297mm 문제지, 잡지

[bookk 출판사]

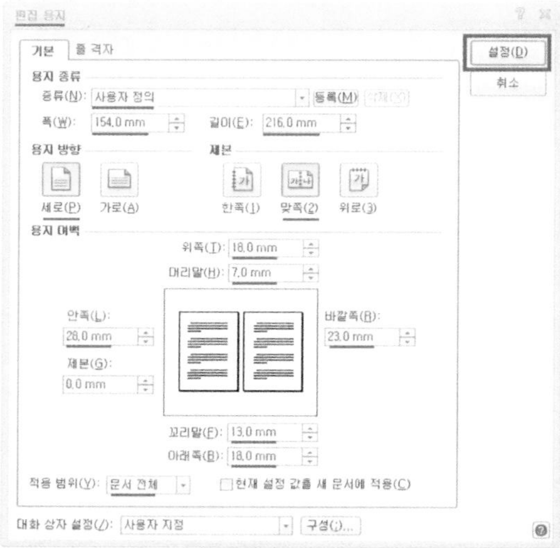

▶ 1,000년 가는 전자책 만들기 매뉴얼

1. 전자책 책 원고 작업 세팅. 한글(HWP)에 종이책 기본 규격 세팅.

책 원고 작업을 여러 가지 프로그램에서 가능하지만 평균적으로 책 원고 작업을 한글(HWP)에서 한다. 그래서 출판사의 종이책 원고 규격에 맞는 한글(HWP)에 기본 규격 세팅을 해야 한다.

#. 원고 작업을 위한 한글(HWP) 기본 규격 세팅 순서. 한글 → 편집 → 쪽 여백 → 쪽 여백 설정 → 종류(사용자 정의) → 폭(154) → 길이(216) #. A5 대중적인 사이즈 148*210인데 상하좌우 3mm는 실제 제작 할 때 재단되어 반영되지 않기에 148+6*216+6= 폭(154)*길이(216)가 되는 것이기에 참고하자.

→ 용지 방향(세로) → 제본(맞쪽) → 용지 여백 → 위쪽 18.0 → 머리말 7.0 → 꼬리말 13.0 → 아래쪽 18.0 → 안쪽 28.0 → 바깥쪽 23.0 → 문서 전체 → 설정

한 번만 세팅해 놓으면 복사해서 계속 쓸 수 있다.

1. 전자책 원고 작업 세팅.

(한글(HWP)에 전자책 기본 규격 세팅)

▶ 글꼴: 바탕 ~
▶ 글자 크기: 10 ~
▶ 글정력: 양쪽 정렬
▶ 줄 간격: 160% ~

※ 글꼴, 글자 크기, 줄 간격 출판사 마다 다르다. bookk 출판사에서 평균적으로 사용하는 규격이니 참고하길 바란다.

※ 글꼴, 글자 크기, 줄 간격 출판사마다 다르다. bookk 출판사에서 평균적으로 사용하는 규격이니 참고하길 바란다.

▶ 한글 → 글꼴(바탕) → 글자 크기(10) → 양쪽 정렬 → 줄 간격 160%

필자는 글자 크기를 12, 줄 간격은 180%로 하고 있다. 출판사가 정해 놓은 규격에서 조금 플러스가 될 수는 있지만 마이너스가 되면 안 된다. (책 출간이 안 되는 예시: 글자 크기 9, 줄 간격 150%)

한번만 세팅해 놓으면 복사해서 계속 쓸 수 있다.

1. 전자책 원고 작업 세팅.

(한글(HWP)에 전자책 기본 규격 세팅)

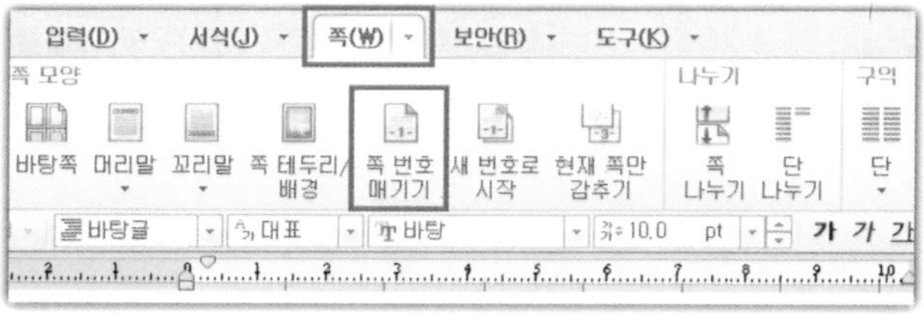

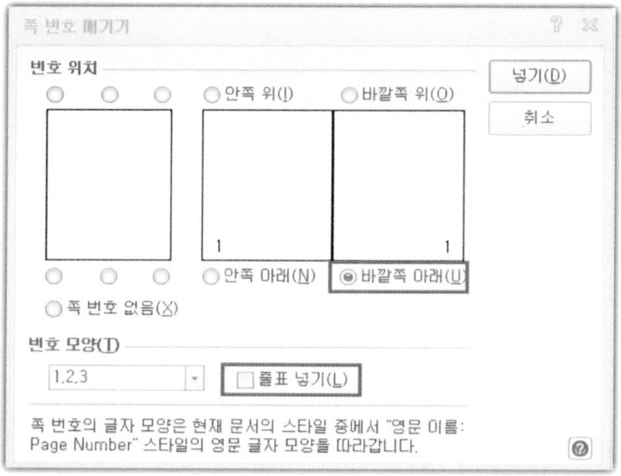

페이지 번호를 미리 세팅해 놓으면 원고 작업할 때 편하다. 지금 몇 페이지를 쓰고 있는지 몇 페이지가 남았는지 체크를 할 수가 있어서 원고 작업이 수월해진다. 쪽 번호 매기기는 원고를 다 쓴 다음에 할 수도 있다.

▶ 한글 → 쪽 → 쪽 번호 매기기 → 바깥쪽 아래 → → 줄표 넣기(자신 스타일에 맞게) → 넣기

한 번만 세팅해 놓으면 복사해서 계속 쓸 수 있다.

2. 전자책 책 출간의 뼈대인 초고 매뉴얼

- 전자책 책 분야 선택 (인기 있는 분야? 자신 분야?)

대학교로 비유를 하면 여러 가지 과로 나누어져 있듯이 책 분야도 여러 분야로 나누어져 있다. 대학교도 인기 있는 과가 있고 인기 없는 과가 있듯이 책 분야도 인기 있는 분야가 있고 인기 없는 분야가 있다. 한마디로 책을 보는 사람들이 좋아하는 분야가 있다는 것이다.

다음은 책 분야를 정리한 것이니 참고해서 책 분야 전체적인 흐름을 파악하길 바란다.

소설, 시/에세이, 인문, 가정/육아, 요리, 건강, 취미/실용/스포츠, 경제/경영, 자기계발, 정치/사회, 역사/문화, 종교, 예술/대중문화, 중/고등참고서, 기술/공학, 외국어, 과학, 취업/수험서, 여행, 컴퓨터/IT, 잡지, 청소년, 초등참고서, 유아(0~7세), 어린이(초등), 만화, 대학교재

<교보문고>

마음 같아서는 인기 있는 분야를 쓰고 싶을 것이다. 하지만 처음 글을 쓰는 사람들, 글 내공이 없는 사람들, 자신 분야 책을 3권 이상 쓰지 않은 사람들은 인기 있는 분야가 아닌 자신이 자신 있게 쓸 수 있는 분야를 선택해야 한다.

운전으로 예시를 들겠다. 운전면허증을 오늘 취득한 초보가 인기 있는 차종, 사람들이 좋다고 하는 차종, 고가의 차종을 운전한다면 부담이 되어서 나다운 운전 스타일이 나오지 않는다.

당연히 돈이 많아서 운전이 서툴러도 부담 없이 운전하는 사람도 있을 수 있지만 나다운 운전 스타일이 자리 잡을 때까지는 부담이 없는 소형차부터 시작을 하듯이 책 쓰기도 인기 있는 분야를 처음부터 시도해도 되지만 자신이 가장 잘 쓸 수 있는 자신 스토리, 자신 전문 분야로 책을 쓰면 글을 잘 쓸 수 있다.

자신에게 맞는 책 분야 선택을 잘 하려면 시중에 있는 자신 분야와 연관 있는 책들 10권 이상 보길 바란다. 10권 이상 보면 어느 정도 감이 올 것이다. 세상에서 가장 좋은 방법은 벤치마킹하는 것이다.

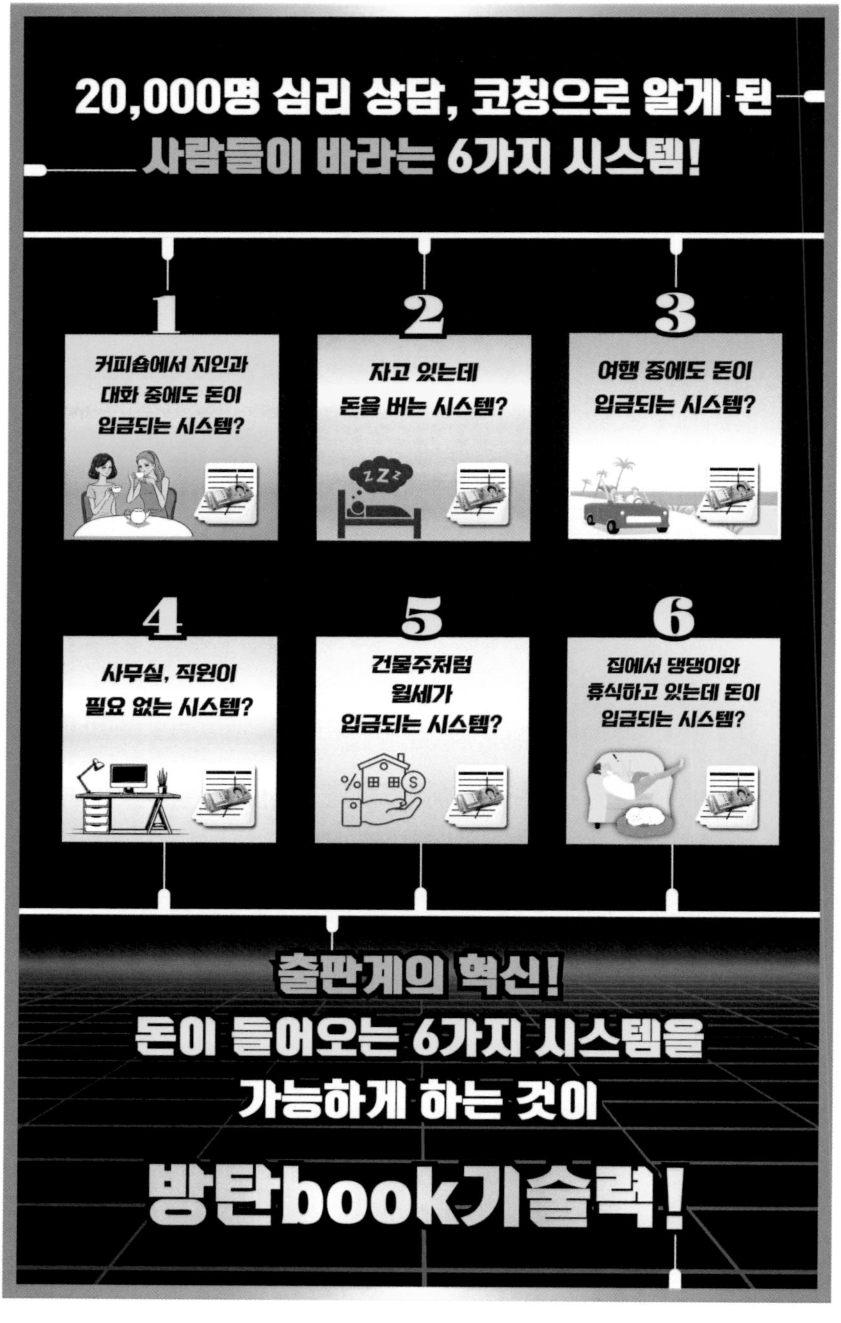
20,000명 심리 상담, 코칭으로 알게 된
사람들이 바라는 6가지 시스템!
1
커피숍에서 지인과 대화 중에도 돈이 입금되는 시스템?
2
자고 있는데 돈을 버는 시스템?
3
여행 중에도 돈이 입금되는 시스템?
4
사무실, 직원이 필요 없는 시스템?
5
건물주처럼 월세가 입금되는 시스템?
6
집에서 댕댕이와 휴식하고 있는데 돈이 입금되는 시스템?
출판계의 혁신!
돈이 들어오는 6가지 시스템을
가능하게 하는 것이
방탄book기술력!

평균 희망 은퇴 73세, 현실 은퇴 나이 49세!
100세 시대 언제까지 몸(노동)으로만
일해서 돈을 벌 것인가?

세상, 현실 기준에서 스펙, 돈, 인맥, 자산 등이 없어서 100세까지 노동을 해야 되고 몸까지 아프면 더 답이 없는 상황! 젊을 때는 100가지 중 99가지를 할 수 있지만 나이 들면 100가지 중 99가지를 할 수 없다. 3고 시대, AI 시대, 챗GPT 시대에 자신의 직업이 사라 질 수 있는 상황에서 어떻게 준비, 대비할 것인가?

방탄BOOK기술력
선택이 아닌 필수!

한 분야 전문성으로 힘든 시대다. 이제는 포트폴리오 커리어 시대다. (포트폴리오 커리어: 한 분야 전문성 외 다수에 전문성이 있는 사람) 자신 경력을 왜 썩히고 있는가! 자신 경력을 활용해서 6가지 수입을 발생시킬 수 있는 방탄book기술력! 언제까지 몸(노동)으로 일할 것인가? 자신 경력이 일하게 하자! 자신 콘텐츠가 일하게 하자! 시스템이 일하게 하자!

★ ★ ★ ★ ★

직장은 자신 인생을 책임져 주지 않지만
방탄book기술력은 자신 인생을 책임져 준다.
직장은 자신을 배신하지만
방탄book기술력은 자신을 배신하지 않는다.

대한민국 99%가 책 쓰기, 출간하는 방법만
교육, 코칭 한다!
6가지 수입 창출 책 쓰기, 출간 기술력을
교육, 코칭 하는 곳은 **방탄book출판사뿐이다.**

방법만 배우면 돈이 계속 나가지만
방탄book기술력을 배우면
돈은 계속 들어온다.

- 전자책 책 제목 만들기 (책 제목 먼저? 책 내용 먼저?)

첫 번째, 책 제목을 만들고 책 내용을 쓰는 게 먼저일까? 두 번째, 책 내용을 쓴 다음 책 제목을 만드는 게 먼저일까?

정답은 없지만 20,000명 심리 상담, 코칭, 종이책 150권, 전자책 250권 총 400권 출간 경력으로 알게 된 것은 책 내용을 쓰기 전에 책 제목을 간단하게 만들어야 한다는 것이다. 책 내용을 쓰면서 책 제목이 바뀔 수 있고 좀 더 좋은 아이디어가 나온다는 것이다.

"초고는 쓰레기다."라는 말이 있다. 처음 생각하고 만든 것은 어설프고 미흡하며 보완할 것이 많다는 의미다. 자신이 추구하는 책 분야, 책 가치, 책 신념, 책 의미, 책 목표, 책 방향이 정확하게 있다면 제목을 신중하게 만들 수 있지만 그렇지 않다면 간단하게 제목을 만들어도 된다.

필자에 첫 번째 책은 《나다운 강사 1》, 《나다운 강사 2》다. 필자 본업이 강사이다. 5년 전 강사 직업과 강사 양성코칭을 10년 하면서 쌓인 노하우들을 책으로 출간을 했다. 《나다운 강사 1》 책 제목을 '책을 써야겠다.'

라는 마음먹은 순간부터 6개월 초고 작업과 탈고까지 하면서 제목을 한 번도 수정한 적이 없다. 책 분야, 책 가치, 책 신념, 책 의미, 책 목표, 책 방향이 정확하게 있었기 때문이다.

20,000명 심리 상담, 코칭, 종이책 150권, 전자책 250권 총 400권 출간하면서 알게 된 것은 처음 만들었던 책 제목은 초고를 쓰는 동안 여러 번 수정을 한다는 것이다. 처음 만들었던 책 제목을 책 출간까지 유지 되는 경우보다 수정하는 경우가 더 많았고 9(수정):1(유지)정도 되었다.

책 제목에 처음부터 힘쓰지 말고 가볍게 만들고 책 내용을 쓰면서 다듬어 가면 되는 것이다. 책 제목 가칭을 정하고 초고를 쓰면서 자신 분야와 비슷한 책들의 제목을 참고하며 지금 사람들 좋아하는 트랜드에 맞는 제목을 만들면 된다.

필자의 멘탈분야에 베스트셀러인《나다운 방탄멘탈》책으로 이해를 시켜주겠다.
《나다운 방탄멘탈》책 처음 제목이 <나다운 멘탈>이었다. 나다운 멘탈 주제로 7단계 큰 목차로 구분을 해서 초고를 만들었다.

1단계 나다운 순두부멘탈
2단계 나다운 실버멘탈
3단계 나다운 골드멘탈
4단계 나다운 에메랄드멘탈
5단계 나다운 다이아몬드멘탈
6단계 나다운 블루다이아몬드 멘탈
7단계 나다운 방탄멘탈

퇴고(원고를 고쳐 쓰는 단계)를 하고 탈고(원고를 마무리하는 단계)를 하는 중 한창 BTS(방탄소년단)그룹이 전 세계적으로 이슈가 되고 있었다. 어느 날 멘탈에 대해서 아내와 소통을 하는 중 우주에서 가장 사랑스러운 아내가 이런 말을 했다. "나다운 멘탈이 추구하는 본질이 자신 멘탈을 외부로부터 보호를 먼저 해야만 멘탈 높이는 방법들이 효과가 있다면 지금 방탄소년단이 트랜드이니까 방탄을 제목에 넣어서 나다운 방탄멘탈로 하면 어때?"라는 말에 피카츄 300만 볼트 전기 충격을 받았다.

장기, 바둑도 훈수 두는 사람이 더 잘 보이듯이 필자가 보지 못한 것을 우주에서 가장 존경하는 아내가 본 것이다. 그래서 《나다운 방탄멘탈》 책이 출간과 동시에 멘탈 분야 베스트셀러가 될 수 있었다.

간단히 정리를 하면 첫 번째는 책 제목 가칭을 가볍게 만들기. 두 번째는 초고를 쓰면서 시중에 있는 자신 분야 책들을 참고. 세 번째는 지금 사람들에게 이슈 되는 트랜드 읽기. 네 번째는 퇴고, 탈고하면서 책 제목 최종적으로 다듬기.

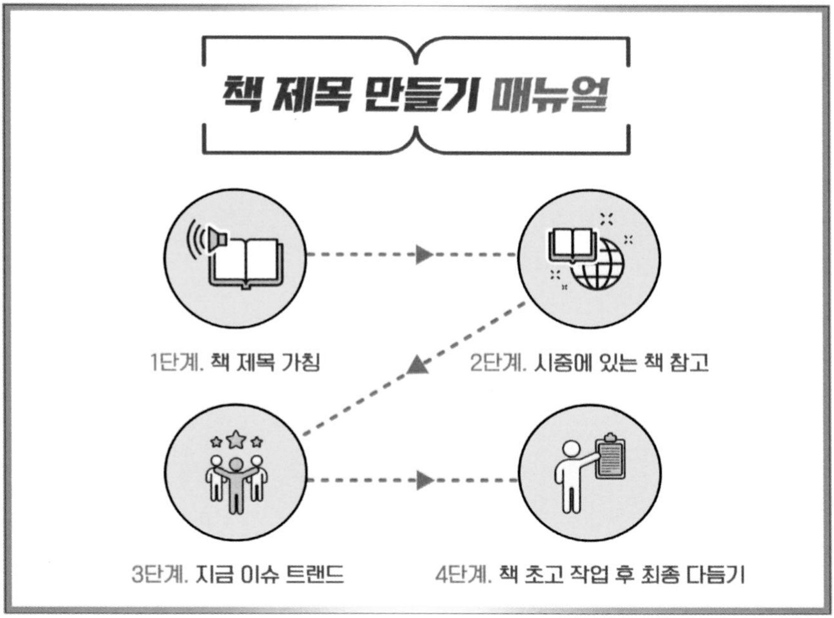

- 전자책 책 콘셉트, 사람들이 선호하는 책 콘셉트
(글만 있는 콘셉트? 글+ 스토리텔링? 글+ 스토리텔링+ 이미지?)

20,000명 심리 상담, 코칭, 종이책 150권, 전자책 250권 총 400권 책을 출간하면서 알게 된 것은 시대 흐름에 맞게 독자들이 선호하는 책 콘셉트가 있었다. 책 콘셉트는 스마트폰 시대 전과후로 나누어진다.

스마트폰이 없던 시대에는 책 콘셉트가 책 내용에 글만 있어도 괜찮았다. 그 이유는 글만 있는 책들이 대부분이고 생활 속에서 화려한 이미지, 영상에 노출되는 것이 한정되어 있었다.
하지만 지금은 어떤가? 스마트폰 시대에 하루 만에도 유튜브, 인스타그램, SNS 등으로 인해 수 백 개, 수 천 개의 화려한 이미지, 영상으로 눈이 아플 정도로 노출이 되고 있다. 이런 환경 속에서 책 콘셉트가 이미지는 하나도 없고 글만 있다면 책을 안 보는 사람들이 더 많아지고 책을 더 멀리하게 된다.

책을 좋아하는 사람들은 이미지가 있건 없건 책을 본다. 하지만 책을 좋아하지 않는 사람들은 이미지가 있어야 책을 보는데 좀 더 수월하다는 것이다. 책을 출간하려는 사람들은 책의 기본 사명감이 있어야 한다.

출간한 책으로 돈을 버는 것도 좋지만 자신 책으로 인해서 많은 사람들에게 도움, 영감, 삶의 지혜를 주어 지금 보다 나은 삶을 살아가기 위한 내비게이션 역할을 해줄 수 있는 책 출간을 해야 한다.

책을 보는 사람들을 타깃층 대상으로 책 내용을 쓰는 건 기본이지만 좀 더 나아가 책을 보지 않는 사람들, 책을 싫어하는 사람들이 우연히 자신 책을 봤을 때 "어라! 책 한 페이지만 봐도 졸음이 쏟아지는 사람이었는데 나에게는 책이 수면제였는데 이 책은 이미지, 스토리텔링도 많아서 끝까지 보게 된다. 태어나서 처음으로 끝까지 읽은 책이다. 독서에 눈을 뜨게 한 책이다. 이 작가에게 너무 고맙다."라는 말을 들을 수 있는 책을 출간하기 위한 책 콘셉트를 잘 잡아야 한다.

앞에서 필자의 책을 보고 "태어나서 처음으로 끝까지 읽은 책이다. 독서에 눈을 뜨게 한 책이다."라고 말했던 사람들에 말이 책이 많이 팔리는 기쁨 보다 1,000배는 더 기쁘고 행복했고 내가 살아가는 이유, 내가 존재하는 이유를 느끼게 해주었다. "나의 1%가 누군가에게는 살아가는 이유 100%가 될 수 있다."라는 말을 실제 경험했던 상황이었다.

솔직히 책을 좋아하는 1%들은 글만 있는 것을 더 선호한다. 하지만 대부분 사람들은 글만 있는 것을 싫어한다. 스마트폰으로 인해서 이미지, 영상, 화려함에 중독이 되어 있기 때문이다. 이런 환경 속에서 한 명이라도 자신 책을 읽게 만들기 위한 책 콘셉트가 중요하다고 강조하는 것이다.

그런데 안타깝게도 세계 어느 나라건 출판계 현실이 몇천 년이 지나도 책 콘셉트가 변하지 않고 있다. 지금 4차 산업 시대, AI 시대, 챗 GPT 시대 등 빠르게 변하고 있는 상황 속에서 몇 천 년 전 책 콘셉트와 지금과 별 차이가 없고 극단적인 표현을 하면 똑같다는 것이다.

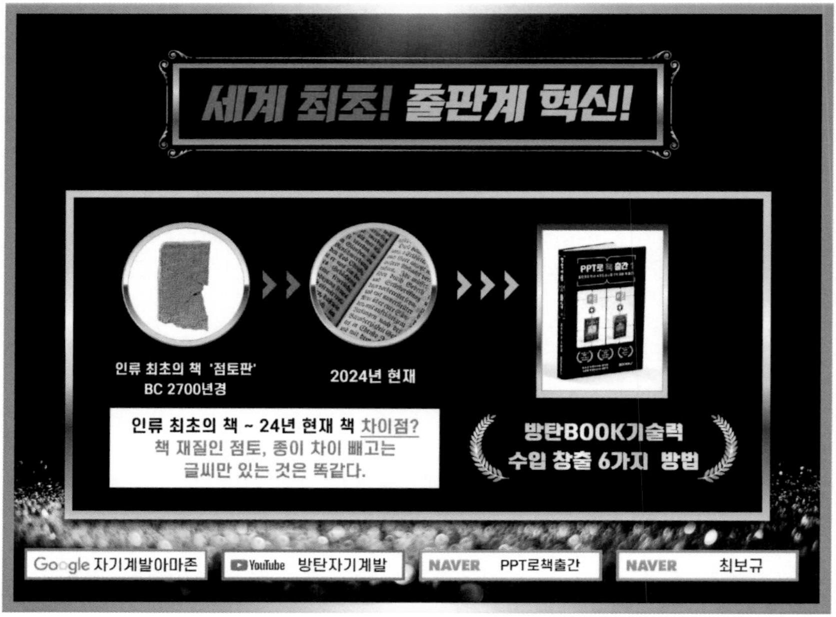

이미지를 보듯이 BC 2700년경 인류 최초의 '점토판' 책과 2024년 지금 책 콘셉트를 보면 비슷하다 못해 똑같다는 것이다. 책 재질인 흙, 종이, 잉크 차이 빼고는 똑같다는 것이다. 어떤 생각이 드는가? 고정형 마인드와 성장형 마인드를 가진 사람 차이를 알려 주겠다.

고정형 마인드를 가진 사람들은 "몇 천 년이 지나도 책 콘셉트는 변하지 않는다. 아무리 스마트폰으로 인해서 이미지, 영상, 화려함에 중독이 되어 있어도 책은 좋아하는 사람만 보기에 앞으로 책 콘셉트는 글만 쓰면 되겠다."

성장형 마인드를 가진 사람들은 "몇 천 년이 지나도 책 콘셉트가 변하지 않았다. 스마트폰으로 인해서 이미지, 영상, 화려함에 중독이 되어있는 환경에서 앞으로 화려함에 중독되어 가는 것이 더 심하면 심했지 덜하지는 않을 것이다. 지금 환경, 사람들 심리에 맞춰 책 콘셉트를 글과 이미지를 잘 조합해야겠다. 그래야만 다른 책과 경쟁에서 살아남을 수 있다."

자신은 고정형 마인드를 가진 사람인가? 성장형 마인드를 가진 사람인가? 가슴에 찔림이 있다면 변화할 기회가 온 것이고 가슴이 두근두근 거린다면 행동할 기회가 온 것이다.

가슴이 벅차 오른 다면 방탄book기술력(6가지 수입 창출 시스템 교육) 코칭 받을 기회가 온 것이다. 지금 당장 상담받길 바란다!

♥ 최보규 방탄book기술력 창시자 010-6578-8295 ♥

#. 세계 3대 혁신이 있다.

- 첫 번째, 스마트폰 혁신

· 1876년 미국의 알렉산더 벨(Alexander G. Bell)

· 2007년 스티브 잡스 아이폰 (아이팟 + 인터넷 + 폰)

- 두 번째, 자동차 혁신

· 1886년 세계 최초 가솔린 자동차 / 칼 벤츠가 발명한 '페이턴트 모터바겐'

· 2024년 벤츠 전기차

- 세 번째, 출판계 혁신

· 인류 최초의 책 '점토판' BC 2700년경

· 방탄book기술력(수입 창출 6가지 방법)

지금 당신이 보고 있는 이 책이 세계 최초로 출판계의 혁신인 방탄book기술력이다. **지금 당신에게** 천재일우(천 년에 한 번 만난다는 뜻으로 좀처럼 만나기 어려운 기회) **온 것이니 조상님에서 감사하고 "내가 인생을 지**

금까지 잘 살아서 이런 기회가 오는구나."라는 마음으로 제대로 배워서 자신을 알고 있는 사람들에게 필요한 사람이 되길 바란다.

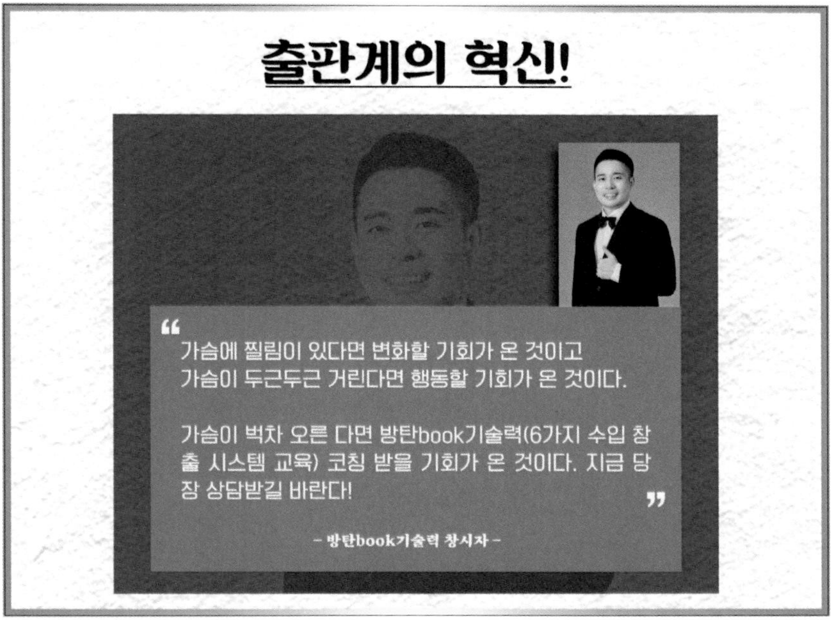

세계 3대 혁신!
1대 혁신!
2대 혁신!
3대 혁신!
특허청 등록
최보규 강사책출간 코칭전문가
등록 번호: 제 40-2200794 호

세계 1대 혁신!

스마트폰 혁신

1876년
미국의 알렉산더 벨(Alexander G. Bell)

2007년 스티브 잡스
아이폰 (아이팟 + 인터넷 + 폰)

세계 2대 혁신!

자동차 혁신

1886년 세계 최초 가솔린 자동차
칼 벤츠가 발명한 '페이텐트 모터바겐'

2024년 벤츠 전기차

세계 3대 혁신!

출판계 혁신

인류 최초의 책 '점토판'
BC 2700년경

2024년 현재

인류 최초의 책 ~ 24년 현재 책 차이점?
책 재질인 점토, 종이 차이 빼고는
글씨만 있는 것은 똑같다.

방탄BOOK기술력
수입 창출 6가지 방법

세계 3대 혁신!
스마트폰 혁신
1876년
미국의 알렉산더 벨(Alexander G. Bell)
2007년 스티브 잡스
아이폰 (아이팟 + 인터넷 + 폰)
자동차 혁신
1886년 세계 최초 가솔린 자동차
칼 벤츠가 발명한 '페이턴트 모터바겐'
2024년 벤츠 전기차
세계 최초! 출판계 혁신!
인류 최초의 책 '점토판'
BC 2700년경
2024년 현재
인류 최초의 책 ~ 24년 현재 책 차이점?
책 재질인 점토, 종이 차이 빼고는
글씨만 있는 것은 똑같다.
방탄BOOK기술력
수입 창출 6가지 방법
Google 자기계발아마존
YouTube 방탄자기계발
NAVER 방탄book기술력
NAVER 최보규

세계 최초! 출판계 혁신!

책만 출간하고 끝나는 것이 아닌 자신 분야와 출간 한 책을 연결하여 6가지 수입을 발생시킬 수 있는 기술력과 100년 지속할 수 있는 기술력을 마스터 한다.

우리는 이것을 방탄book기술력이라 부른다.

20,000명 심리 상담, 코칭, 종이책 150권, 전자책 250권 총 400권 책을 출간하면서 알게 된 사람들이 선호하는 책 콘셉트를 설명하겠다.

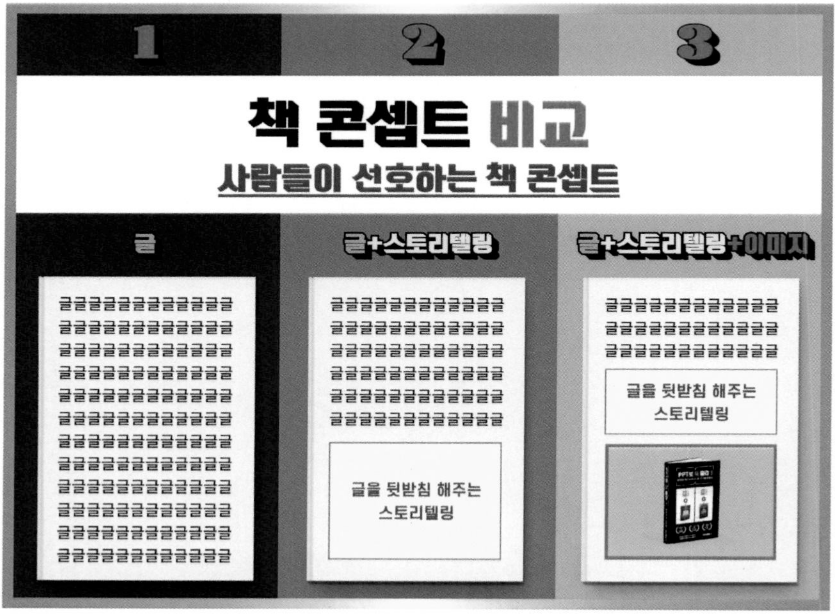

첫 번째, 글만 있는 책 콘셉트.

시중에 있는 책 90%가 글만 있는 책 콘셉트이다. 오해하지 말고 들었으면 한다. 글만 있는 책이 나쁘다고 말하는 것이 아니다. 앞에서 언급했듯이 몇 천 년이 지나도 책 콘셉트가 변하지 않고 있다는 것을 말하고 싶은 것이다. 글만 있는 콘셉트는 책을 좋아하는 사람들에게는 상관이 없다. 글만 있는 콘셉트가 익숙하기 때문이다. 하지만 책을 좋아하지 않는 사람들에게는 글만 있는 책 콘셉트는 독서에 중요성만 알고 있는 사람들에게는 늘 좌절하게 만든다. 시도는 늘 한다. 글만 있는 책 콘셉트는 늘 좌절하게 만들어 독포자(독서 포기자)가 되어 가는 안타까운 상황이 벌어진다.

두 번째, 글과 글을 뒷받침해 주는 스토리텔링.

글 빨, 글 내공이 있는 작가라면 충분히 자신의 스토리만으로도 책 내용 전달이 되어 책을 이해하는데 문제가 없다. 하지만 글 빨, 글 내공이 없는 작가들이 90%이다. 작가의 스토리로는 독자들에게 책 내용 전달이 쉽지 않고 이해력도 떨어진다. 그래서 글 빨, 글 내공이 없고 책을 많이 써보지 않은 사람이라면 독서, 영상, SNS 등에서 나오는 스토리텔링을 자신 글과 접목을 하면 된다. 자신 글에 날개를 달아주는 것이 기존에 있는 스토리텔링을 융합하는 것이다. 그러기 위해서는 평상시 스마트폰을 최대한 활용해야 한다. 하루 만에도 수 백 개, 수천 개의 영상, 이미지, 좋은 글, 좋은 메시지 등을 본다. 캡처하거나 글을 복사해서 메모장에 저장해 두었다가 책 쓸 때만 활용(저작권 위반 사항 주의) 하는 것이 아니라 힘들고 지칠 때 한번 씩 보면 도움이 되고 지인들과 대화하다가 도움이 되는 메모가 생각이 나면 보내줄 수도 있다. 필자의 7,000개 메모가 종이책 150권, 전자책 250권 총 400권을 출간하는데 기초가 되었다.

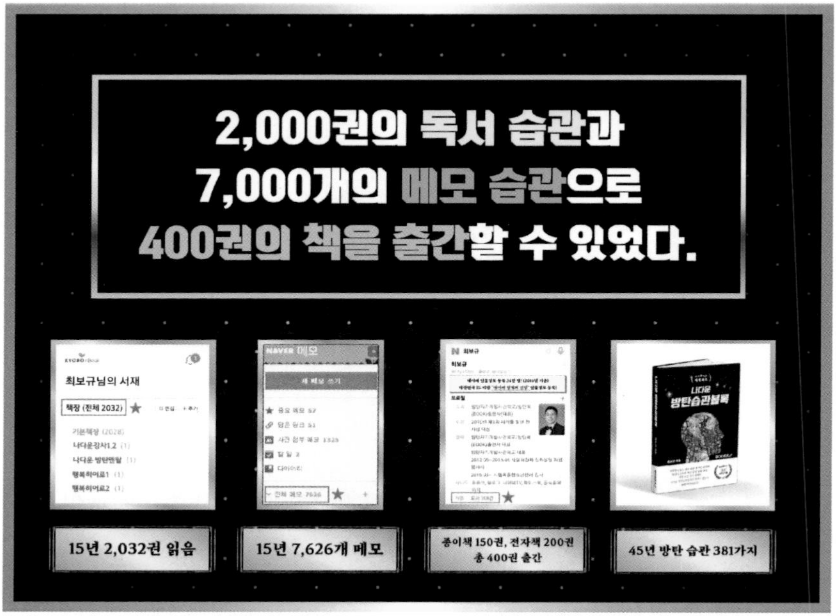
2,000권의 독서 습관과
7,000개의 메모 습관으로
400권의 책을 출간할 수 있었다.
최보규님의 서재
책장 (전체 2032)
NAVER 메모
새 메모 쓰기
나다운 방탄습관블록
15년 2,032권 읽음
15년 7,626개 메모
종이책 150권, 전자책 200권
총 400권 출간
45년 방탄 습관 381가지

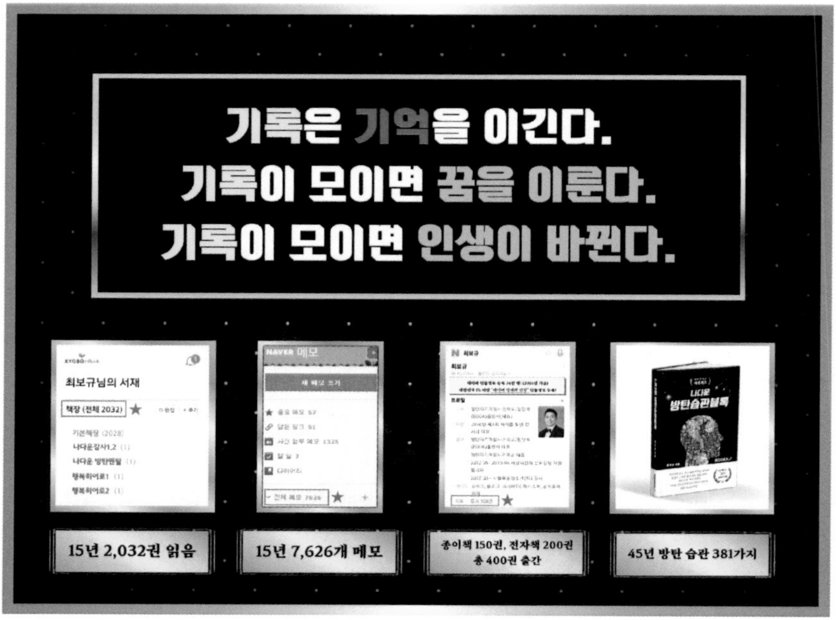
기록은 기억을 이긴다.
기록이 모이면 꿈을 이룬다.
기록이 모이면 인생이 바뀐다.
최보규님의 서재
책장 (전체 2032)
NAVER 메모
새 메모 쓰기
나다운 방탄습관블록
15년 2,032권 읽음
15년 7,626개 메모
종이책 150권, 전자책 200권
총 400권 출간
45년 방탄 습관 381가지

세 번째, 글과 글을 뒷받침해 주는 스토리텔링이 99℃ 물이라면 1℃를 올려 끓게 만드는 건 이미지 디자인. 사람은 시각적인 동물이다. 시각적인 효과가 95%를 차지한다. 지금 시대는 숏폼으로 인해서 집중도가 더 낮아지고 있다. 이런 현실 속에서 책을 쓰는 사람이라면 독자들에 집중력까지 감안해서 집중력을 끌어올릴 수 있는 책 콘셉트를 잘 정해야 한다.

지금 어떤 시대에 살고 있는가? 스마트폰으로 인해서 하루만 해도 영상, 이미지, 글... 눈이 아플 정도로 화려한 것을 수 만개는 본다. 한마디로 지금 시대 사람들의 평균 시각적인 수준이 높다는 것이다. 이런 상황에서 글만 있는 책이라면 집중도가 떨어진다. 호기심을 유발, 궁금증 유발 "이런 디자인은 처음 보는데 너무 신선하다. 럭셔리하다."라는 마음이 들어서 보고 싶도록 이미지도 있어야 집중도가 올라간다. 다음은 지금 현실 속 사람들의 집중력에 대한 내용이다.

겨우 8초, 금붕어보다 못한 인간의 집중력
소위 'MZ'라고 불리는 요즘 젊은 세대는 어렸을 때부터 늘 새로운 자극으로 가득한 디지털 환경에 노출된 채 자랐다. 그래서인지 한 가지 주제에 오랫동안 집중하기 상당히 어려운 뇌 구조를 지녔다고 한다. 뭔가에 집중할 수 있는 시간(Attention Span)에 관한 연구를 살펴보자. 아동이 주의해서 집중할 수 있는 시간은 얼마나 될까? '자신의 나이×1분' 정도라고 한다. 6세 어린이는 약 6분 정도 집중할 수 있다는 뜻이다. 이 시간은 개인에 따라 차이가 있고, 몰입하면 10~15분까지는 늘어날 수 있다. 너무 지루하지도 않고 그렇다고 아주 재미있지도 않은 평범한 수업을 하고 있다고 하자. 십 대 학생들은 보통 수업을 듣기 시작하면 약 10분 후부터 집중력이 떨어진다. 일반적으로 이들이 뭔가에 주의해서 집중할 수 있는 시간은 20분을 넘기기 어렵다. 따라서 수업 시작 후 10~20분이 지나면 신경전달물질이 고갈된 학생들은 이내 집중에 어려움을 느끼고 주의가 산만해진다. 그래서 유튜브 영상의 평균 길이는 15~20분이고, 테드(TED) 강연 길이는 18분이다. 집중력을 감안해 메시지를 확실히 전달하기 위한 시간이다. 드롭박스의 마케팅 신화를 쓴 실리콘밸리 최고의 마케터 션 앨리스(Sean Ellis)가 한 말을 약간 각색하여 들어보자.

"고객의 주의집중을 원하신다고요? 사업 규모의 확장을 위해서는 시장이 원하는 언어를 사용해야 합니다. 언어의 시장 적합성이 무엇보다 중요하죠. 잠재 고객의 마음을 움직일 수 있는 말을 상상해 보세요. 당신이 만든 제품을 고객이 마주할 때 어떻게 해야 가장 효율적으로 전달할 수 있을지 생각해 보셨나요? 고객이 좋아하지 않는 언어로 구애한다면 실패입니다. 제품 가치를 알아줄 상대방이 없는 곳에서 헛스윙을 하는 거라고 생각하면 됩니다." 여기서 왜 고객의 마음을 끌어당길 언어에 몰두해야 하는지 그 이유가 나온다. 스마트폰이 생기기 전 고객이 광고에 집중할 수 있는 시간은 12초였다. 이제는 8초로 뚝 떨어졌다. 9초인 금붕어보다 못하다.

주의집중 시간의 변화
12초 - 2000년 인간의 평균 주의집중 시간
8초 - 2015년 인간의 평균 주의집중 시간
9초 금붕어의 주의집중 시간

인간의 평균 주의집중 시간 인간의 평균 주의집중 시간 금붕어의 주의집중 시간 왜 이런 일이 발생했을까? 주변의 수많은 자극에 적응하다 보니 주의력이 줄어들었다는 것이 통설이다. 생각해 보라. 우리는 매일매일 넘치는 정보의 홍수 속에서 살아가고 있다.

수시로 오는 문자와 카카오톡 메시지, 귀찮아 들여다보지도 않는 이메일처럼 하루하루 우리의 신경을 산만하게 하는 요소가 차고 넘친다. 그 결과 집중해서 주의를 지속하는 시간이 줄어드는 것은 당연한 결과다. 게다가 여러 일을 한꺼번에 하는 멀티태스킹형 업무 방식에 길

들여진 젊은 세대에게 이런 현상은 더욱 심각하게 다가올 수밖에 없다.

뇌 신경세포를 뜻하는 뉴런과 마케팅의 합성어인 뉴로마케팅(Neuro Marketing)의 연구 결과를 보자. 브랜드의 색상이 소비자로 하여금 다양한 감정을 불러일으킨다고 한다. 소비자들이 상품을 구매하는 데 있어 시각적 효과가 약 95%를 차지한다고 하니, 디자인과 색감이 큐레이터에게는 아주 중요하다.

색은 브랜드를 인식하는 강력한 수단으로, 그리고 소비자의 신뢰를 확보하는 무기로 작용한다. 빨간색 코카콜라와 초록색 스타벅스 로고가 소비자의 지갑을 열게 하는 강력한 마케팅 도구로 활용되고 있다는 것은 마케팅 세계에서는 익히 아는 이야기다.

《감정 경제학》

금붕어의 집중력이 9초인데 지금 시대 사람들의 집중력이 8초라는 말이 씁쓸하기만 하다. 지금시대 사람들의 심리를 알려주는 내용이었다.

어떤 분야든 지금 시대 사람들의 상태, 심리를 알아야만 공격적으로 영업, 마케팅을 할 수 있고 자신 분야 제품을 알릴 수 있는 것이다.

시각적인 효과가 95%를 차지한다는 것은 어마어마한 것이다. 그래서 책 콘셉트에 디자인이 중요하다고 말을 하는 것이다. 다시 한 번 강조하겠다. 사람들이 선호하는 책 콘셉트는 작가의 글을 뒷받침해주는 스토리텔링에 핵심 정리를 시켜줄 이미지 디자인이다.

예시)

작가 글(세 번째, 작가의 글을 뒷받침해 주는 스토리텔링이라는 99℃ 물에서 1℃를 올려 끓게 만드는 이미지 디자인)+ 스토리텔링(금붕어 스토리텔링)+ 이미지 디자인

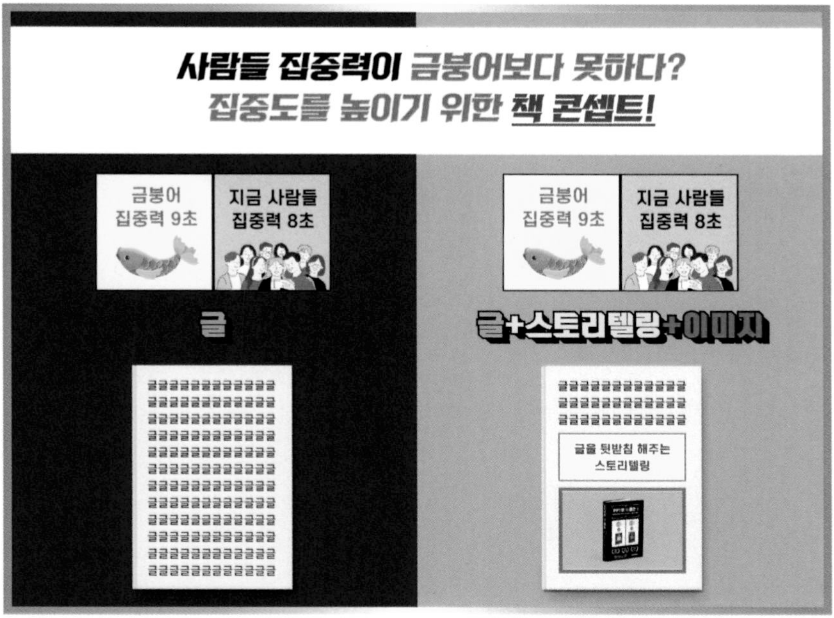

- 초고 내용 (1개월 안에· 끝내기? 여유를 가지고 끝내기?)

대부분 작가들이 초고는 최대한 빠르게 작업해야 한다고 알고 있다. 시중에 있는 책 쓰기 책, 책 출간 책들을 보면 평균적으로 말하는 초고 기간은 1년, 6개월, 3개월, 1달 안에 해야 된다. 라고 알고 있다. 될 수 있으면 초고를 빠른 시간 안에 끝내는 게 좋다. 그 이유는 글빨, 글 영감이 한번 집중해서 쓸 때 잘 나오고 글이 살아나기 때문이다. 초고 쓰는 기간이 길어지면 글을 쓰는 동기부여도 약해져서 책을 쓰는 열정이 식기 때문이다.

20,000명 심리 상담, 코칭, 종이책 150권, 전자책 250권 총 400권 책을 출간하면서 알게 된 것은 초고를 빠르게 작업해야 된다는 말은 49%만 맞다. 51%는 아니다. 49%만 맞는 이유는 책 쓰기, 책 출간이 직접적으로 자신 직업과 연관이 되어 시간의 여유가 없고 돈을 벌기 위함이라면 최대한 빠르게 단시간 안에 초고 작업을 끝내는 게 맞다. 하지만 책 쓰기, 책 출간이 직접적으로 자신 직업과 연관이 없고 시간적 여유가 있는 책 쓰기, 책 출간이라면 시간이 걸리더라도 상관은 없다.

자신 스타일, 자신 상황에 맞는 초고 작업을 하면 되는 것이다.

평균적으로 초고 내용 작업은 한글 파일(HWP)에서 한다. 출판사마다 원고 기준이 다르지만 평균적으로 초고 기준을 알려주겠다.

한글 파일(HWP) → 편집 → 쪽 여백 → 쪽 여백 설정 → A4(국내판:210*297mm) → 용지 방향 세로 → 제본 맞쪽.

글자체: 바탕
글씨 크기: 10pt
줄 간격: 160%
장평 100%
사진 포함 시 '문서에 포함' 체크

쪽수는 100쪽 이상 써야지만 평균 책 한 권 250페이지 양이 나온다.

초고때 한글 파일(HWP) 100쪽에 써야 된다. 1쪽을 하루, 3일, 1주일 등으로 나누어 초고를 써야 한다. 1주일에 1쪽씩 쓴다고 가정했을 때 1년이 총 52주이기 때문에 52쪽이 나온다. 1주일에 2쪽이면 104쪽이 나온다.

초고를 쓸 때 가장 중요한 것이 있다. 대부분 책 쓰기 책들이 말하는 것은 "표준어를 써야 되고 비속어는 쓰면 안 되며 사투리, 욕이 들어가면 안 되고... 등 자연스럽게 읽을 수 있고 거부감 없는 말투로 써야 된다."라고 나와 있다.

필자가 경험상 어떤 책이냐에 따라 다르다고 생각한다. 교재나, 학습용, 교육용, 전문 지식을 전달하는 책을 쓴다면 당연히 자제를 해야 되지만 대부분 일반적인 책이기에 일반적인 책이라면 표준어에 맞춰서만 쓰면 되는 것이다. 특히 처음 책을 쓰는 사람이라면 더더욱 힘들 것이다. 몇 글자 쓰고 맞춤법 검사기로 표준어 검사해서 쓴다면 몇 백 년은 걸릴 것이고 책 한 권 쓰다가 인생 끝난다.

초고를 빠른 시간에 쓰면 좋겠지만 글 빨, 글 내공이 있지 않는 한 머리에 뒤죽박죽 섞여 있는 내용을 글로 옮긴다는 게 어렵다. 사람마다 다를 수 있지만 필자는 책 10권을 출간 했을 때 글 빨, 글 내공이 나왔다. 방탄 book기술력 코칭 해보면 코칭 받는 사람들이 늘 하는 말이 있다. "머리에는 있는데 글로 표현하려니 잘 안됩니다."라는 하소연을 하는 사람들이 많았다. 누구나 겪는 인고의 시간이다. 그 시간을 극복해야만 글 빨, 글 내공이 나오는 것이다.

방탄book기술력 코칭 할 때 알려주는 팁을 한가지 오픈하겠다. 머리에 있는 내용이 글로 표현하기가 어려울 때 최고의 방법은 녹음을 한 다음 녹음 한 것을 필사하면 된다. 필사하는 것 또한 쉽지 않다. 녹음한 것을 플레이하고 정지해서 한 문장 필사하고 계속 반복한다는 것이 쉽지는 않다. 그래서 도구를 사용 하면 되는데 녹음했던 파일을 텍스트로 변환해 주는 프로그램을 사용 하더라도 정확도가 떨어지기에 다시 체크를 해야 한다. (네이버 검색: 클로바 노트)

필사 목적이 오로지 책을 출간하기 위한 동기부여만 있다면 금방 지친다. 그래서 여러 가지 필사 동기부여를 해야 한다. 책을 출간하는 동기부여도 있지만 머리에 있는 것을 말로 하면 1차로 정리가 되고 필사를 하면 2차로 정리가 되어 핵심 내용이 다듬어진다. 자신 전문 분야를 필사한다면 매뉴얼, 자료화가 만들어져서 진정한 전문가로 거듭나고 자신 분야 삼성(진정성, 전문성, 신뢰성)이 향상된다.

짝퉁 전문가는 말로만 설명한다. 설명도 정리가 되지 않아 어렵게 말한다. 명품 전문가는 설명도 쉽게 하지만 글을 통해 매뉴얼, 자료화를 만든다. 필사를 많이 하거나 책을 많이 쓰는 사람들 특징은 말을 조리 있게 잘하고 상황, 상대방을 이해하는 능력이 좋다. 스피치에서는 당당함, 자신감, 열정이 느껴진다. 필사는 인고의 시간이 필요하지만 인고의 시간만큼 얻어 가는 것이 많다는 것을 명심하자.

#. 초고를 잘 쓰려면 5라를 해야 한다.

1. 표준어는 잊고 그냥 써라!
2. 사투리는 신경 쓰지 말고 그냥 써라!
3. 비속어 신경 쓰지 말고 그냥 써라!
4. 욕 신경 쓰지 말고 그냥 써라!
5. 생각나는 대로 그냥 써라!

초고는 평상시 가족들과, 친한 친구들과 대화하는 말투로 쓰면 된다. 그래야 부담 없이 머리에 있는 것이 나온다. 초고를 다 쓰면 교정, 교열은 전문가에게 맞기면 된다. 처음 책 쓰는데 너무 힘들게 쓰지 말라는 것이다.

정성스럽게 온 힘을 다해서 어렵게 쓰는 책과 대충 쓰는 책을 대하는 태도가 다르겠지만 처음부터 이것저것 신경을 너무 많이 써서 초고를 쓰면 빨리 지친다. 자신 전문분야가 아닌 일반 책을 쓸 거라면 힘을 빼고 쓰는 게 좋다.
마라톤 풀코스를 뛰어보고 알게 된 것이 있다. 마라톤에서 가장 중요한 것이 나다운 페이스다. 자신을 앞서가는 사람들 주위 사람들을 의식하는 페이스는 완주를 못한다. 초고 쓰기 완주를 하기 위해서는 나다운 글쓰기 페이스가 중요하다는 것이다.

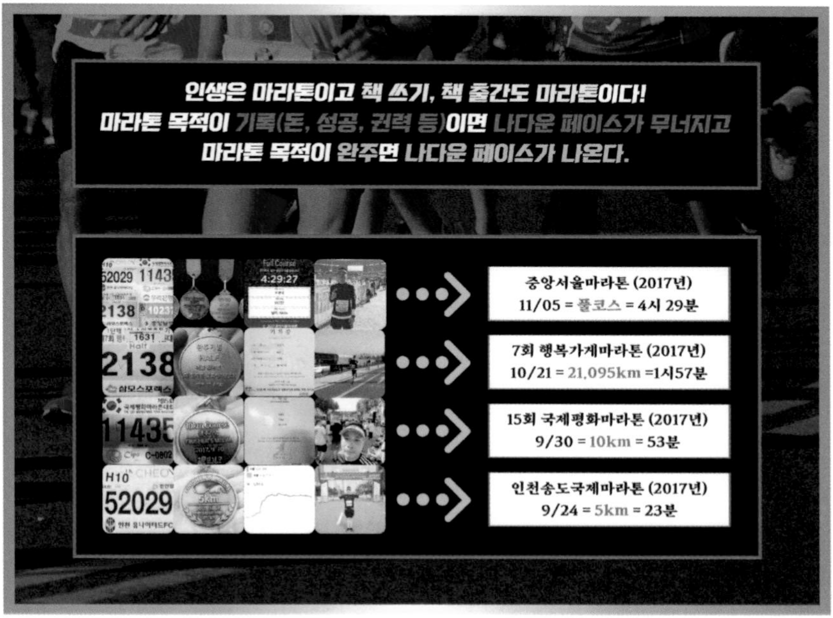

방탄book기술력을 코칭 할 때 늘 하는 말이 있다. "최보규 방탄book기술력 창시자와 함께 한다면 온 힘을 다해, 온 정성을 다해 3대까지 가는 책을 쓰기 위해 집중해야 되지만 혼자 책을 쓴다면 동기부여해 줄 사람이

없기에 닥고(닥치고 무조건 고고고)해야 합니다. 방탄 book기술력을 만난 건 천재일우(천 년에 한 번 만난다는 뜻으로 좀처럼 만나기 어려운 기회)라 생각하시고 믿고 따라오시면 됩니다. 책 쓰기, 책 출간, 인생 페이스메이커가 되어 주겠습니다."

20,000명 심리 상담, 코칭으로 알게 된
20,000명이 바라는 책 쓰기, 책 출간 교육, 코칭

10가지

1 한번 출간한 책으로 평생 활용하는 방법을 알려주는 교육, 코칭

2 로또 2등과 같은 기획출판을 하기 위해서 출판기획서 제작 스트레스, 거절 메일을 확인 하는 스트레스, 370가지 스트레스... 등 마음고생 덜 하고 책 출간할 수 있는 책 쓰기 교육, 코칭

3 책 활용 수입 창출 시스템 교육을 검증 된 전문가에게 한 곳에서 시간, 돈 낭비를 줄여주는 책 쓰기 교육, 코칭

4 한번 코칭으로 100년 a/s, 피드백, 관리해주는 책 쓰기 교육, 코칭

5 책 출간 후 자신 분야 삼성(진정성, 전문성, 신뢰성)을 높여 자신 분야 내공, 가치, 몸값까지 올릴 수 있는 책 쓰기 교육, 코칭

6 출간한 책으로 강사가 되어 은퇴 후 제2의 직업을 할 수 있는 책 쓰기 교육, 코칭

7 책 출간 후 자신 분야 코칭 전문가가 되어 은퇴 후 제3의 직업까지도 할 수 있는 책 쓰기 교육, 코칭

8 책 출간 후 온라인 콘텐츠까지 제작을 해서 비수기 없는 책 쓰기 교육, 코칭

9 책 출간 후 디지털 콘텐츠까지 제작을 해서 월세, 연금성 수입까지 발생시킬 수 있는 책 쓰기 교육, 코칭

10 책 한 권 출간하고 끝나는 것이 아니라 100년 동안 책을 무한대로 출간 할 수 있는 책 쓰기, 책 출간 기술력을 교육, 코칭

방탄 book

책 쓰기, 책 출간 교육, 코칭은 누구나 한다.
6가지 수입 창출 책 쓰기, 책 출간
교육, 코칭은 방탄BOOK 창시자 뿐이다.

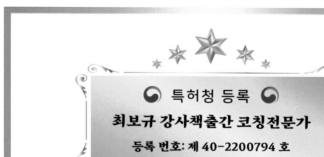

특허청 등록
최보규 강사책출간 코칭전문가
등록 번호: 제 40-2200794 호

명품 자기계발

명품 동기부여

★★★★★ 차별이 아닌 초월 시스템 ★★★★★

타사와 비교불가 초월 혜택!
자신 분야 온라인 건물주가 되어 100년 수입 창출!

Google 자기계발아마존 | YouTube 방탄자기계발 | NAVER 방탄book기술력 | NAVER 최보규

이코노미 PT

기본 5H : 500,000원

CHECK POINT

- ☑ 기본 1회(1일=5H)
- ☑ 6가지 수입 창출 시스템 매뉴얼 설명
- ☑ 150년 A/S

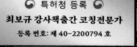

특허청 등록
최보규 강사책출간 코칭전문가
등록 번호: 제 40-2200794 호

명품 자기계발

명품 동기부여

★★★★★ **차별이 아닌 초월 혜택** ★★★★★

Google 자기계발아마존 | YouTube 방탄자기계발 | NAVER 방탄book기술력 | NAVER 최보규

이코노미 PT

기본 5H : 500,000원

- ☑ 150년 A/S (세계 최초)
- ☑ 마스터한 분야 자격증 1종 취득
- ☑ 방탄자기계발사관학교 강사 위촉
- ☑ 방탄자기계발사관학교 마스터 위촉
- ☑ 비지니스 PT 10% 할인 (10만원 상당)
- ☑ 퍼스트클래스 PT 10% 할인 (30만원 상당)
- ☑ 마스터한 분야 실전 2시간 강의 교안 제공. (강사료 200만원 상당)

특허청 등록

최보규 강사책출간 코칭전문가

등록 번호: 제 40-2200794 호

명품 자기계발

명품 동기부여

★★★★★ 차별이 아닌 초월 시스템 ★★★★★

타사와 비교불가 초월 혜택!
자신 분야 온라인 건물주가 되어 100년 수입 창출!

Google 자기계발아마존 | YouTube 방탄자기계발 | NAVER 방탄book기술력 | NAVER 최보규

비지니스 PT

기본10H : 1,000,000원

CHECK POINT

- ☑ 기본 1회(2~3일=10H)
- ☑ 6가지 수입 창출 시스템 실전 훈련
- ☑ 150년 A/S, 피드백

명품 자기계발

특허청 등록
최보규 강사책출간 코칭전문가
등록 번호: 제 40-2200794 호

명품 동기부여

★★★★★ 차별이 아닌 초월 혜택 ★★★★★

Google 자기계발아마존 | YouTube 방탄자기계발 | NAVER 방탄book기술력 | NAVER 최보규

비지니스 PT

기본 10H : 1,000,000원

- ☑ 150년 A/S, 피드백
- ☑ 마스터한 분야 자격증 1종 취득
- ☑ 방탄자기계발사관학교 전임 강사 위촉
- ☑ 방탄자기계발사관학교 전임 마스터 위촉
- ☑ 퍼스트클래스 PT 10% 할인
(30만원 상당)
- ☑ 강사 맞춤 트레이닝 비대면 1회 제공
(50만원 상당)
- ☑ 마스터한 분야 실전 2시간 강의 교안 제공, 1:1 맞춤 교안 설명
(강사료 200만원 / 1:1 맞춤 100만원 상당)

특허청 등록

최보규 강사책출간 코칭전문가

등록 번호: 제 40-2200794 호

명품 자기계발

명품 동기부여

★★★★★ 차별이 아닌 초월 시스템 ★★★★★

타사와 비교불가 초월 혜택!
자신 분야 온라인 건물주가 되어 100년 수입 창출!

Google 자기계발아마존 | YouTube 방탄자기계발 | NAVER 방탄book기술력 | NAVER 최보규

퍼스트클래스 PT

기본 15H : 3,000,000원~

CHECK POINT

☑ 기본 1회(15H) / (2회 ~ 5회 선택 사항)
☑ 6가지 수입 창출 **자동 시스템 구축**
☑ 150년 A/S, 피드백, VIP맞춤 관리

특허청 등록
최보규 강사책출간 코칭전문가
등록 번호: 제 40-2200794 호
명품 자기계발
명품 동기부여
차별이 아닌 초월 시스템
타사와 비교불가 초월 혜택!
자신 분야 온라인 건물주가 되어 100년 수입 창출!
Google 자기계발아마존
YouTube 방탄자기계발
NAVER 방탄book기술력
NAVER 최보규
방탄book기술력 전문가 과정 속성 PT
방탄
book 기술력
전문가
기본 30H : 5,000,000원~
CHECK POINT
기본 1회(5H) / (5회 ~ 10회 선택 사항)
6가지 수입 창출 자동 시스템 구축
150년 A/S, 피드백, VIP맞춤 관리

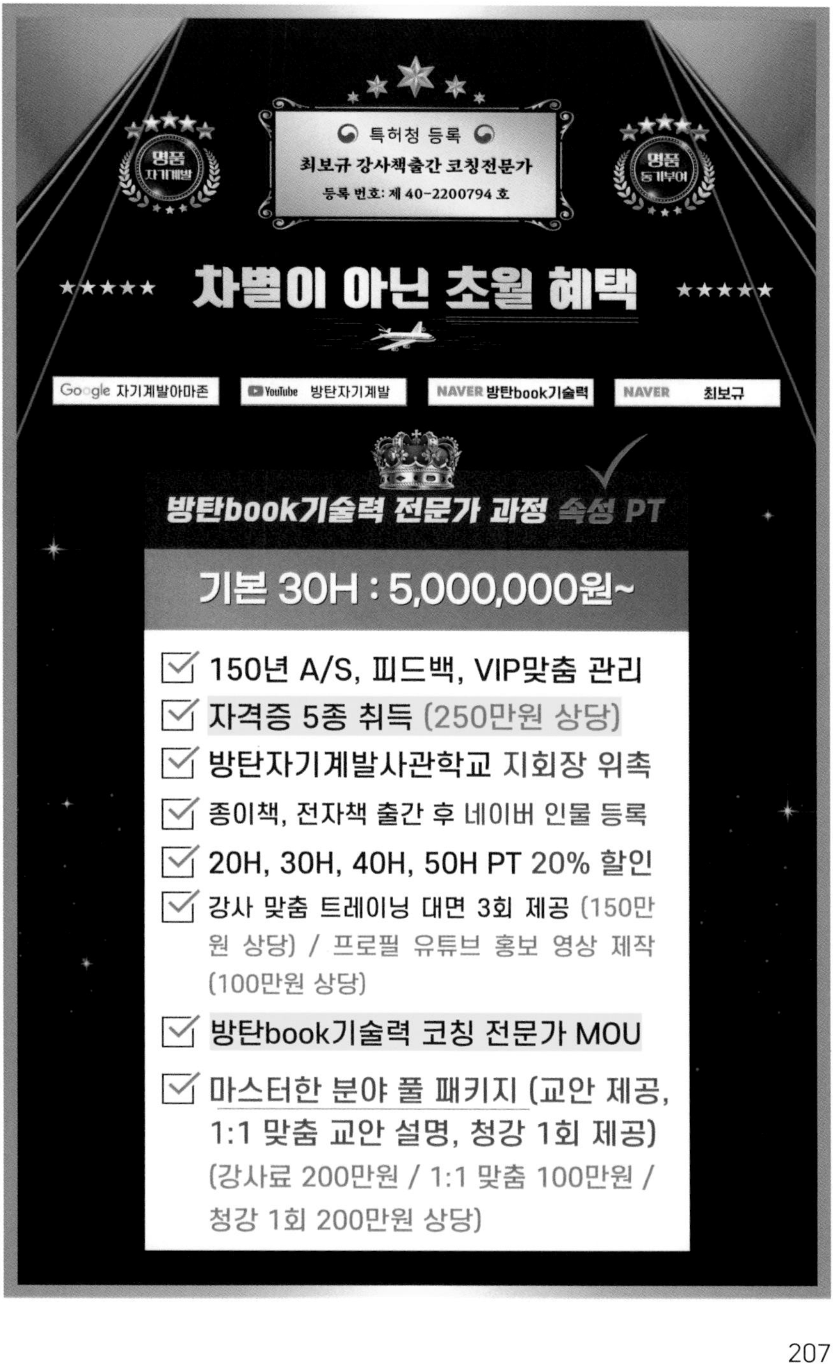

특허청 등록
최보규 강사책출간 코칭전문가
등록 번호: 제 40-2200794 호
명품 자기계발
명품 동기부여
차별이 아닌 초월 혜택
Google 자기계발아마존
YouTube 방탄자기계발
NAVER 방탄book기술력
NAVER 최보규
방탄book기술력 전문가 과정 속성 PT
기본 30H : 5,000,000원~
150년 A/S, 피드백, VIP맞춤 관리
자격증 5종 취득 (250만원 상당)
방탄자기계발사관학교 지회장 위촉
종이책, 전자책 출간 후 네이버 인물 등록
20H, 30H, 40H, 50H PT 20% 할인
강사 맞춤 트레이닝 대면 3회 제공 (150만원 상당) / 프로필 유튜브 홍보 영상 제작 (100만원 상당)
방탄book기술력 코칭 전문가 MOU
마스터한 분야 풀 패키지 (교안 제공, 1:1 맞춤 교안 설명, 청강 1회 제공)
(강사료 200만원 / 1:1 맞춤 100만원 / 청강 1회 200만원 상당)

특허청 등록
최보규 강사책출간 코칭전문가
등록 번호: 제 40-2200794 호
명품 자기계발
명품 동기부여
★★★★★ 차별이 아닌 초월 시스템 ★★★★★
타사와 비교불가 초월 혜택!
자신 분야 온라인 건물주가 되어 100년 수입 창출!
Google 자기계발아마존
YouTube 방탄자기계발
NAVER 방탄book기술력
NAVER 최보규
방탄book기술력 전문가 과정 6개월 PT
방 탄
book 기술력
전문가
기본 30H : 10,000,000원~
CHECK POINT
기본 1회(5H) / (5회 ~ 10회 선택 사항)
6가지 수입 창출 자동 시스템 구축
150년 A/S, 피드백, VIP맞춤 관리

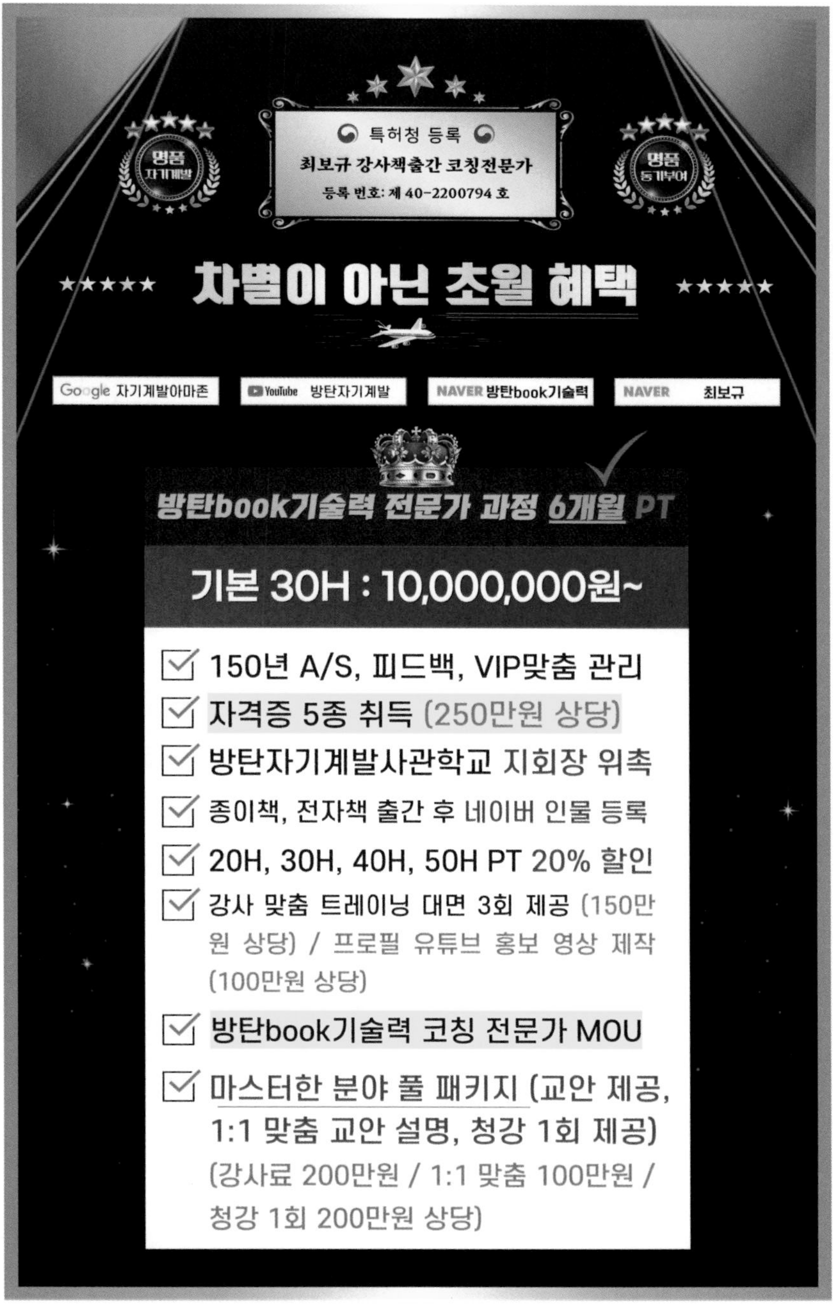
특허청 등록
최보규 강사책출간 코칭전문가
등록 번호: 제 40-2200794 호
명품 자기계발
명품 동기부여
차별이 아닌 초월 혜택
Google 자기계발아마존
YouTube 방탄자기계발
NAVER 방탄book기술력
NAVER 최보규
방탄book기술력 전문가 과정 6개월 PT
기본 30H : 10,000,000원~
150년 A/S, 피드백, VIP맞춤 관리
자격증 5종 취득 (250만원 상당)
방탄자기계발사관학교 지회장 위촉
종이책, 전자책 출간 후 네이버 인물 등록
20H, 30H, 40H, 50H PT 20% 할인
강사 맞춤 트레이닝 대면 3회 제공 (150만원 상당) / 프로필 유튜브 홍보 영상 제작 (100만원 상당)
방탄book기술력 코칭 전문가 MOU
마스터한 분야 풀 패키지 (교안 제공, 1:1 맞춤 교안 설명, 청강 1회 제공)
(강사료 200만원 / 1:1 맞춤 100만원 / 청강 1회 200만원 상당)

CLASS	내용
class 1	자신 분야 연결 6가지 수입 창출 기술력 컨설팅
class 2	자신 분야 삼성(진정성, 전문성, 신뢰성) 향상 책 쓰기, 책 출간 기술력 PT
class 3	자신 전문 분야로 제2수입 창출 기술력 PT
class 4	자신 전문 분야로 제3수입 창출 기술력 PT
class 5	온라인, 디지털 콘텐츠 기획, 제작 기술력 PT (4,5,6 수입 / 100년 지속적인 수입 창출 PT)

최보규 방탄동기부여 전문가
검증된 PT, 강의, 맞춤 코칭, 컨설팅
특허청 등록
최보규 강사책출간 코칭전문가
등록 번호: 제 40-2200794 호
최보규 대표
010-6578-8295
특허청 등록
최보규 자기계발코칭 창시자
등록 번호: 제 40-2072344 호
방탄자기계발사관학교는 국가등록 민간자격증 발급 기관! 명품 인재 양성 기관!
리더십코칭전문가
동기부여코칭전문가
자기계발코칭전문가
강사코칭전문가
책쓰기코칭전문가
리더 분야
동기부여 분야
자기계발 분야
강의, 강사 분야
책쓰기, 책출간 분야
<저자 최보규>
<저자 최보규>
<저자 최보규>
<저자 최보규>
<저자 최보규>
방탄 리더십
리더 7대의무교육
리더 품위유지의무
리더 은퇴, 재테크
리더 동기부여
리더 스피치
리더 사명감, 인성
리더 기본기, 태도
리더 자존감, 멘탈
리더 습관, 행복
리더 인간관계
인재 양성 매뉴얼
리더 감정컨트롤
리더 스트레스관리
리더 라포형성기법
리더 상담기법
리더 코칭기법
리더 스토리텔링
7대 동기부여
변화,성장동기부여
비전 동기부여
열정 동기부여
사원 동기부여
임원진 동기부여
직급별 동기부여
사랑 동기부여
자존감 동기부여
자신감 동기부여
자기관리 동기부여
자기계발 동기부여
멘탈 동기부여
습관 동기부여
긍정 동기부여
인간관계 동기부여
인재양성 동기부여
행복 동기부여
7대 자기계발
변화,성장자기계발
비전 자기계발
열정 자기계발
사원 자기계발
임원진 자기계발
직급별 자기계발
사랑 자기계발
자존감 자기계발
자신감 자기계발
자기관리 자기계발
자기계발 자기계발
멘탈 자기계발
습관 자기계발
긍정 자기계발
인간관계 자기계발
인재양성 자기계발
행복 자기계발
강사 7대 의무교육
강사 인성, 매너
강사 품위유지의무
강사1~3년 차
강사료 올리기 위한 준비, 스펙 쌓기.
강사4~10년 차
강사료 올리기 의한 준비, 스펙 쌓기.
강사10~20년 차
강사료 올리기 위한 준비, 스펙 쌓기.
강사 스킬UP
강사 트레이닝
강의 스토리텔링 기법
강의 SPOT 기법
강사 양성 매뉴얼
강사 양성 시스템
책 쓰기 동기부여
책 출간 동기부여
작가 품위유지의무
책 쓰기, 책 출간 10G 매뉴얼, 시스템.
100권 출간으로 월세, 연금성 수입 창출전수.
강의 교안으로 책 쓰고 책 출간.
출간한 책으로 강의 교안 작업.
출간한 책으로 온라인, 디지털 콘텐츠 제작.
6가지 수입을 창출 하는 책 쓰기, 책 출간.
100년 지속 할 수 있는 기술력을 배우는 책 쓰기, 책 출간.
Google 자기계발아마존
YouTube 방탄자기계발
NAVER 방탄자기계발사관학교
NAVER 최보규

3. 퇴고, 탈고의 본질

한글(HWP)원고 작업에 마지막 단계인 퇴고, 탈고다.

책 쓰기 5단계
원고 → 초고 → 퇴고 → 탈고 → 투고

원고는 책을 쓰기 위한 한글(HWP)원고 기본 규격 세팅 단계다.
초고는 초벌로 쓴 원고다.
퇴고는 원고를 고쳐 쓰는 단계다.
탈고는 원고를 마무리하는 단계다.
투고는 마무리 한 원고를 출간하기 위해 출판사에 보내는 단계다.

투고의 해석 "내 원고 한번 읽어 보고 대중적으로 인기가 있을 거 같거나 돈이 될 거 같으면 1,000만 원 ~ 3,000만 원 투자해서 출간 해주세요." 라는 직설적인 의미가 있다.
이것을 로또 2등과 같다고 하는 기획출판이라고 한다. 그래서 아무나 기획출판을 하지 못한다. 필자의 대표적인 기획 출판의 책이《나다운 방탄멘탈》이다. 300개가 넘는 출판사에 출판 기획서를 만들어서 보냈다. 거절 메일이 몇 개가 왔을 거 같은가? 누군가는 투고 스트레스 때문에 원형 탈모가 오고 소화불량, 우울증까지 걸린 사람도 있다. 당연한 것이다. 1,000만 원 ~ 3,000만 원(책 한 권 작업하는 모든 비용인 인건비, 책 부수, 홍보비, 유통비, 물류비...)을 투자해 주는데 아무나 기획출판을 해주겠는가? 출판사에서는 리스크를 감수하고 기존에 경험과 가능성으로 기획출판을 하기 위해서 신중에 신중할 수밖에 없다. 하루 만에도 대형 출판사에 평균 투고 원고가 100개 이상이 온다고 한다.

그래서 대부분 책 출간하는 사람들이 자비출판, 대필 출판을 한다. 돈만 있으면 투고 스트레스 없이 책을 출간할 수 있기 때문이다. 그래서 시간의 여유가 없고 책 쓰기를 해보지 않은 사람들, 국회의원, CEO, 유명인사들 대부분이 대필 출판을 한다. 대필 출판이 불법, 이상한 것이 아니다. 머릿속에 있는 내용을 말로는 하기 쉬운데 글로 쓰고 정리하는 것이 힘들기에 대필 전문가에게 의뢰를 해서 책을 출간한다. 자비 출판은 자신이 써 놓은 원고가 있는 상태에서 100만 원 ~ 500만 원 들어가고 대필 출판은 원고가 없어도 가능하며 기본 400만 원 ~ 1,000만 원까지 들어간다. 대필 출판은 책 출간이 아니라는 말이 있다.

'책을 출간 한다.'기 보다는 '책을 산다.'라는 말이 더 가깝다. 그래서 원고를 직접 써본 사람과 안 써본 사람 차이는 하늘과 땅 차이다. 대필 출판인지 아닌지 알 수 있는 방법이 있다. 그것은 방탄book기술력 코칭 때 배우게 된다.

책을 한 권 출간하면 2권 ~ 3권을 출간할 수 있는 가능성이 생기고 2권 ~ 3권을 출간하면 10권을 출간할 수 있는 가능성이 생기며 10권을 출간하면 100권을 출간할 수 있는 가능성이 생긴다. 한마디로 한 가지를 이루면 더 큰 것을 이룰 수 있는 개미 성취감이 누적되어 상상할 수 없는 결과가 나오는 것이다.

필자가 종이책 150권, 전자책 250권 총 400권 출간할 수 있는 비결 중에 한 가지가 독립(개인, 자가)출판인 방탄book기술력으로 출간 했다는 것이다.

지금 당신이 보고 있는 이 책의 내공, 가치 값어치가 책값의 1억 배는 가져간다는 것을 명심해야 한다. 단언컨대 대한민국, 세계 어디에서도 방탄book기술력을 배울 수 없다. 오직 방탄book사관학교에서만 가능하다.

4. 책 출간을 위한 체크리스트

- 오타 확인 (오타 체크를 하면 할수록 계속 나오는 이유)

다음은 오타 체크를 하면 할수록 계속 나오는 이유가 왜 그러는지 깨닫게 해주는 내용이다.

출간 후 대놓고 보이는 오타! 왜 여러 번 퇴고해도 못 찾을까? 읽지 않고 보기 때문이다. 내가 쓴 글은 이미 내용을 잘 알고 있다. 이 문장 다음에 무슨 내용이 나올지 이미 안다. 출판사 교정 교열 담당자도 마찬가지. 여러 차례 반복해서 읽다 보면 자연스럽게 내용이 외워진다. 그렇게 되면 '읽는다.'고 생각하지만 착각이다. 실제로는 그저 눈으로 '보기만' 한다.
글 전체를 텍스트가 아니라 하나의 이미지로 인식하는 것이다. 그러니 첫 줄부터 대놓고 오타가 있어도 발견하지 못하는 일이 생긴다. 남이 쓴 글에 오타가 잘 보이는 이유기도 하다. 내용을 모르니 자세히 '읽기' 때문이다.
이것이 퇴고 과정에서 한 번은 소리 내어 읽어야 하는 이유다. 김영하 작가님의 책 <보다 읽다 말하다>라는 제목이 정답을 말하고 있다. 보지 말고 입으로 소리 내어 읽어야 한다.

<네이버 블로그 카루의 프리랜서 라이프>

오타 체크하는 방법이 여러 가지가 있다. 필자가 하는 방법을 소개하겠다. 네이버 맞춤법 검사, 한국어 맞춤법/문법 검사기다. 가장 많이 사용하는 것이 네이버 맞춤법 검사기다. 100% 정확하지는 않지만 간접적인 퇴고하기 위한 오타 체크로는 쓸만하다.

필자가 하는 방식은 이렇다.
1차로 작업해 놓은 원고 내용을 복사해서 네이버 맞춤법 검사기에 300자 이하로 붙여 넣기 하고 몇 백번 반복으로 전체 원고 오타 체크한다. 2차로 직접 목소리를 내면서 읽고 오타 체크를 한다. 3차로 원고 전체 인쇄를 해서 3자에게 오타체크를 부탁한다. (같은 분야 종사자, 책 분야 종사자, 아내, 친구, 지인...)

원고 퇴고는 오로지 글 오타 체크가 주목적이 아니다. 퇴고의 주목적은 자신이 쓴 글을 다시금 정리하고 다듬어서 자신 분야 삼성(진정성, 전문성, 신뢰성)을 향상, 선한 영향력을 끼치기 위한 인생, 사람들에게 도움이 되는 인생, 세상에 필요한 사람이 되기 위한 인생, 지혜로운 인생을 살아가기 위한 행동을 하게 만드는 작업이다.

퇴고를 편하게 하고 싶다면 교정, 교열 전문가에게 맡겨도 된다.

A4 기준 / 글자 크기 10 / 줄 간격 160%
장당 1,000원 ~ 10,000원
(100페이지: 1,000*100= 100,000원)
(100페이지: 5,000*100= 500,000원)
A5는 500원 ~ 5,000원

전문가 일지라도 100% 오타 체크가 되지 않는다. 1차 체크하고 받아서 자신이 체크하고 다시 보내면 2차 체크하고 자신이 체크하는 식으로 3차까지 하고 3차 이후에는 추가 비용이 발생한다.

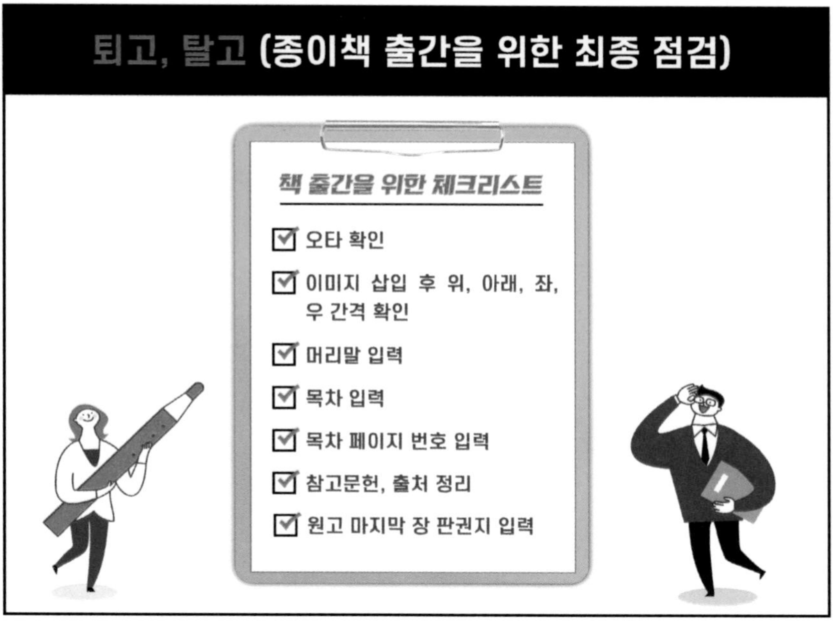

- 이미지 삽입 후 위, 아래, 좌, 우 간격 확인

한글(HWP)원고에 JPEG 파일을 삽입 하면 JPEG 이미지가 한글 규격 세팅해 놓은 규격대로 위, 아래, 좌, 우 변화 없이 삽입되는데 줄 간격은 맞지 않아서 이미지를 한 장씩 맞춰 줘야 한다.

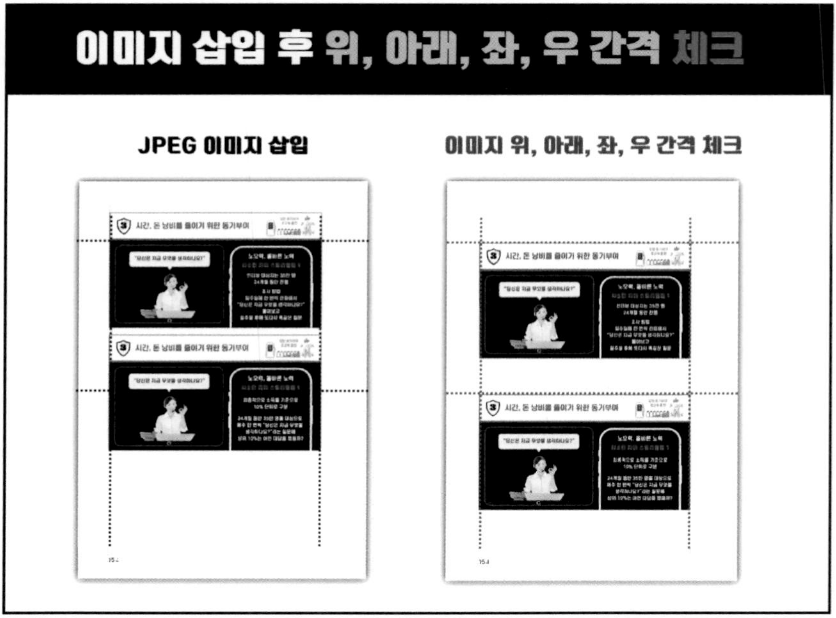

- 머리말 입력

머리말의 국어사전 뜻.

책이나 논문 따위의 첫머리에 내용이나 목적 따위를 간략하게 적은 글. 말이나 글 따위에서 본격적인 논의를 하기 위한 실마리가 되는 부분.

<국어사전>

간단히 정리를 하면 책이 추구하는 목표, 방향이라고 생각하면 된다. 다음으로 나오는 2권의 책 머리말을 참고하자. 《300만원 동기부여 강의》, 《1조 리더십 강의》

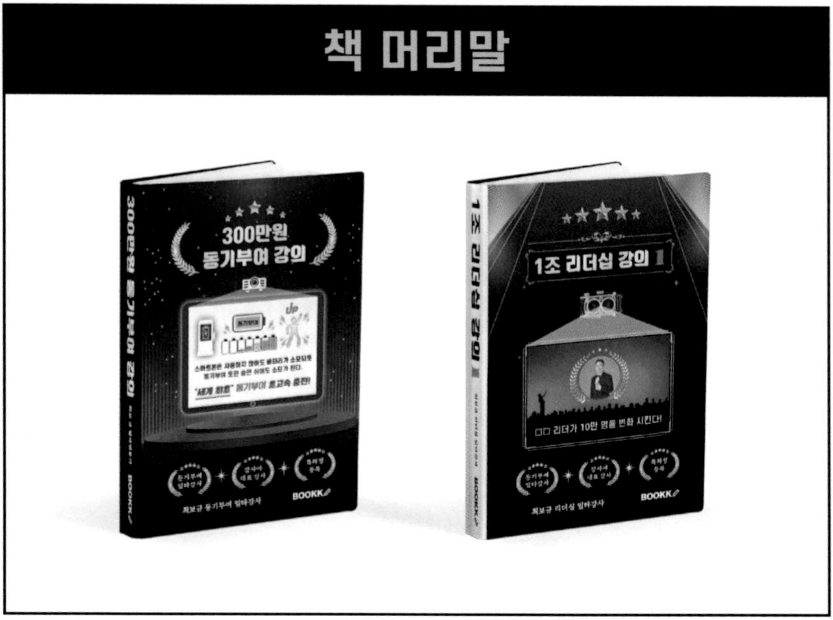

방탄동기부여 PPT를《300만원 동기부여 강의》책으로 출간 했던 머리말.

머리말

세상에 동기부여 못하는 사람은 없다. 단지 동기부여 잘하는 방법을 모를 뿐이다.
특허청 등록! 등록 번호: 제 40-2072344 호
[최보규 자기계발코칭 창시자]
20,000명 심리 상담, 코칭 / 15년 2,000권 독서
자기계발서 100권 출간 / 강사 15년, 강의 6,000회
7G 직업
(출판사 대표, 작가, 심리 상담사, 코칭 전문가, 강사, 유튜버, 한집의 가장)
45년간 습관 320가지 만듦...
많은 경력과 시행착오, 대가 지불, 인고의 시간을 통해 알게 된 동기부여를 세계 최초로 공개한다.

스마트폰은 사용하지 않아도 배터리가 소모되듯 동기부여 또한 숨만 쉬어도 소모가 된다. 누군가에 의해서 충전하면 하루(1일) 가지만 초고속 충전하는 방법을 알면 100년 지속할 수 있다.

어떤 강의에서도 말하지 못한 동기부여!
어떤 강사도 말하지 못한 동기부여!

어떤 책에도 없는 동기부여!

어떤 영상에서도 볼 수 없는 내용의 동기부여!

방탄리더십 PPT를《1조 리더십 강의》책으로 출간 했던 머리말.

머리말

3고(고물가, 고금리, 고환율) 시대, 포노 사피엔스 시대, 4차 산업 시대, AI시대, 챗GPT 시대... 빠르게 변하는 현실 속에서 점점 더 힘들어지는 상황을 극복하고 차별화 리더십이 아닌 초월 리더십으로 업데이트하기 위한 방탄리더십 5단계 시스템!

1단계

노벨상 수상자 리더십, 성공한 리더의 리더십은 다 잊어라! 4차 산업 시대는 4차 리더십인 방탄 리더십 업데이트를 통해 천재지변 리더가 아닌 천재일우 리더

2단계

스트레스 관리, 마인드컨트롤이 잘 되는 리더 자존감, 멘탈 배터리 고속 충전하는 방법

3단계

삼성(진정성, 전문성, 신뢰성)을 높이는 습관을 통해 리더 행복 초고속 충전하는 방법

4단계

리더 자기계발, 동기부여책 200권, 영상 300개, 교육을 들어도 리더 자기계발, 동기부여가 안 되는 이유

5단계

퇴사를 막고 인재가 오래 머물게 하는 방탄 리더 품위 유지의무 10계명

리더는 누구나 하지만 방탄 리더는 아무나 못한다.

방탄 리더 1명이 10만 명을 변화시키고 먹여 살린다.

누구나 방탄 리더가 될 수 있었다면 난 절대로 방탄 리더를 선택하지 않았을 것이다.

어떤 강의에서도 말하지 못한 리더십!

어떤 강사도 말하지 못한 리더십!

어떤 책에도 없는 리더십!

어떤 영상에서도 볼 수 없는 내용의 리더십!

최보규 천재일우 멘토

천재일우 멘토 코칭전문가

"당신은 제가 좋은 사람이 되고 싶도록 만들어요!" 라는
마음을 들게 하여 실천하게 만드는
천재일우 멘토가 되어 주겠습니다.
잘난 멘토가 아닌 진실한 멘토가 되어 주겠습니다.
대단한 멘토가 아닌 좋은 멘토가 되어 주겠습니다.
멋진 멘토가 아닌 따뜻한 멘토가 되어 주겠습니다.
유명한 멘토가 아닌 필요한 멘토가 되어 주겠습니다.

천재일우 멘토 코칭전문가

- 목차 입력

목차는 책 전체 흐름을 알려주는 곳이고 책을 구매할 때 디테일하게 보는 곳이다. 그래서 시중에 같은 분야에 있는 책들과 차별화를 느낄 수 있는 목차 문구를 만들어야 한다.

책 내용과 동떨어지지 않고 "어라! 이 책 목차는 같은 분야에 책들과 다르다. 신선하다. 호기심이 생긴다."라는 느낌을 주어야 한다. 다음으로 나오는 출간했던 《300만원 동기부여 강의》 책 목차를 참고하자.

책 목차

목차 입력

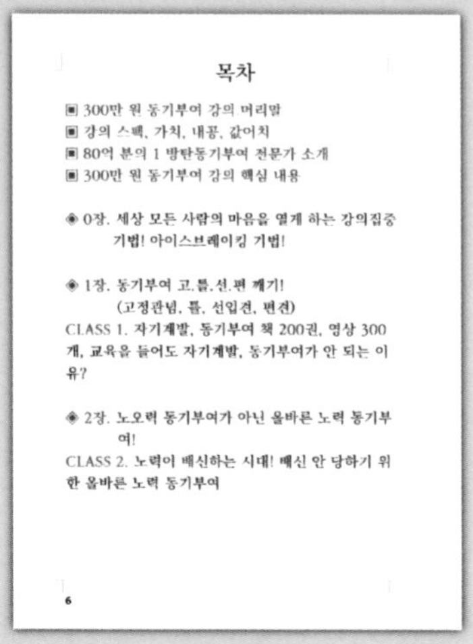

목차

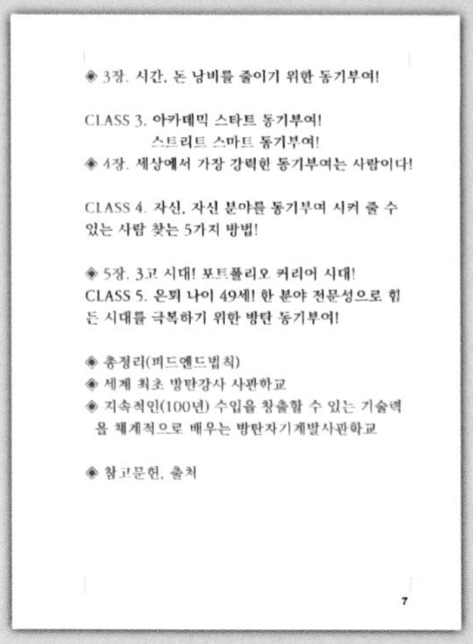

- 목차 페이지 번호 입력

원고 1페이지부터 마지막 페이지까지 한 장씩 보면서 페이지 번호를 입력하면 된다. 페이지 번호가 틀리면 안 되기에 페이지 번호 입력한 다음에 한 번 더 확인해 주면 좋다. 방탄동기부여 PPT를 《300만원 동기부여 강의》 책으로 출간했던 목차 페이지 번호를 참고하자.

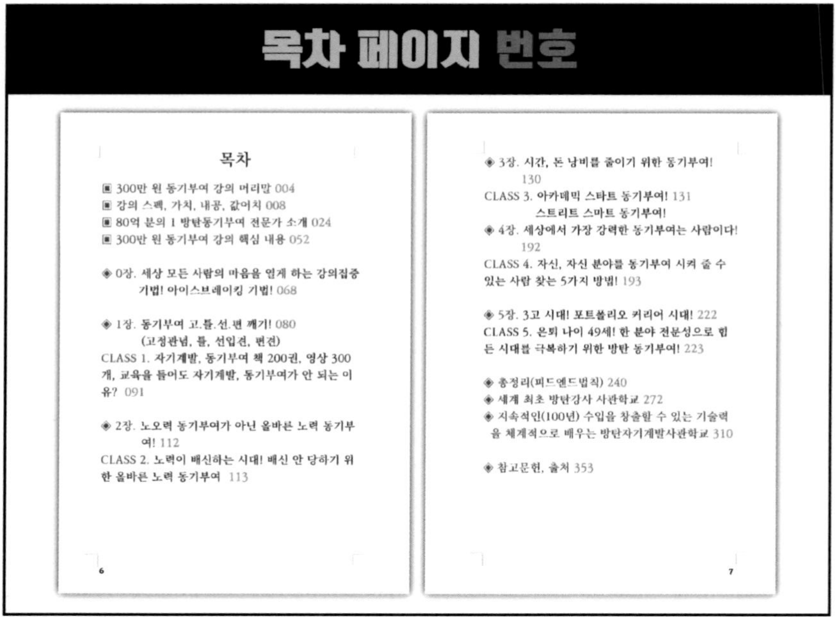

- 참고문헌, 출처 정리

이미지, 스토리텔링, 책에서 발췌한 스토리텔링, 기사 내용, 보도 자료, 영상 정리한 내용, 유튜브 영상을 정리한 내용 등이 있다면 출처를 정확하게 밝혀야 한다.
출처를 남기지 않아 법적 조치(저작권법)를 당할 수도 있다는 것을 명심하자.

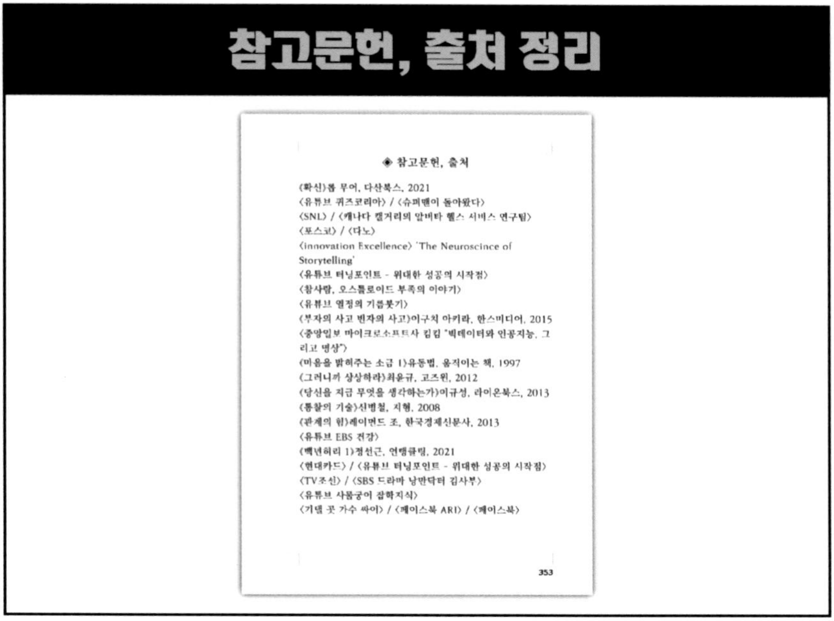
참고문헌, 출처 정리

◈ 참고문헌, 출처

〈확신〉롭 무어, 다산북스, 2021
〈유튜브 퀴즈코리아〉 / 〈슈퍼맨이 돌아왔다〉
〈SNL〉 / 〈캐나다 캘거리의 앞버타 헬스 서비스 연구팀〉
〈포스코〉 / 〈다노〉
〈innovation Excellence〉 'The Neuroscince of Storytelling'
〈유튜브 터닝포인트 - 위대한 성공의 시작점〉
〈참사람, 오스틀로이드 부족의 이야기〉
〈유튜브 열정의 기름붓기〉
〈부자의 사고 빈자의 사고〉이구치 아키라, 한스미디어, 2015
〈중앙일보 마이크로소프트사 김킴 "빅데이터와 인공지능, 그리고 명상"〉
〈마음을 밝혀주는 소금 1〉유동범, 움직이는 책, 1997
〈그러니까 상상하라〉최윤규, 고즈윈, 2012
〈당신은 지금 무엇을 생각하는가〉이규성, 라이온북스, 2013
〈통찰의 기술〉신병철, 지형, 2008
〈관계의 힘〉레이먼드 조, 한국경제신문사, 2013
〈유튜브 EBS 건강〉
〈백년허리 1〉정선근, 언탱글링, 2021
〈현대카드〉 / 〈유튜브 터닝포인트 - 위대한 성공의 시작점〉
〈TV조선〉 / 〈SBS 드라마 낭만닥터 김사부〉
〈유튜브 사물궁이 잡학지식〉
〈기념 곳 가수 싸이〉 / 〈페이스북 ARI〉 / 〈페이스북〉

353

- 원고 마지막 장 판권지 입력

출판의 중요한 정보가 있는 마지막 페이지다. bookk출판사 양식을 참고하고 이미지는 출간 승인 완료된《300만원 동기부여 강의》책 판권지다.

어린 왕자(제목을 적어주세요)

발 행 | 2024년 00월 00일
저 자 | 생택쥐 페리(저자명, 필명을 적어주세요)
펴낸이 | 한건희
펴낸곳 | 주식회사 부크크
출판사등록 | 2014.07.15.(제2014-16호)
주 소 | 서울특별시 금천구 가산디지털1로 119 SK트윈타워 A동 305호
전 화 | 1670-8316
이메일 | info@bookk.co.kr

ISBN |

www.bookk.co.kr

판권지

(종이책 출간을 위한 최종 점검)

300만원 동기부여 강의

(동기부여 일타강사! 동기부여 사용 설명서!)

발 행 | 2023년 11월 11일
저 자 | 최보규
편 집 | 서윤희
디자인 | 최보규
마케팅 | 최보규
펴낸이 | 한건희
펴낸곳 | 주식회사 부크크
출판사등록 | 2014.07.15.(제2014-16호)
주 소 | 서울특별시 금천구 가산디지털1로 119 SK트윈타워 A동 305호
전 화 | 1670-8316
이메일 | info@bookk.co.kr

ISBN |

www.bookk.co.kr

354

전자책(PDF) 출간 매뉴얼
원고 작업 끝난
한글(HWP) 원고
최보규의 책 쓰기
10G

★ 무료 전자책을 출간하기 위한 본질

먼저 전자책을 출간하기 위해서는 유페이퍼출판사에 대해서 알아야 한다. 유페이퍼출판사는 대한민국의 전자책 오픈마켓 서비스를 제공하는 회사다.

개인이 전자책을 만들어서 서점에 유통할 수 있는 방법이 여러 가지가 있지만 개인적으로 유통 한다는 게 쉽지 않다. 개인적으로 하기 힘든 사람들을 위해서 유페이퍼가 일반 서점과 연결시켜주는 중간 역할을 한다. 전자책이 팔리면 소정에 수수료가 발생하고 정산을 해서 작가에게 가는 시스템이다. 제휴사 : 유페이퍼 : 판매자는 3:1:6의 구조라고 보면 된다.
(제휴사: 예스24, 알라딘, 교보문고, 리딩락, 북큐브, 밀리의서재, 부커스, 윌라)

당신에게 유페이퍼출판사가 왜! 천재일우일까? 자신이 무엇인가 시작하려 할 때 세상, 현실 기준이 태클을 건다. 세상, 현실 기준인 스펙, 돈, 인맥, 실력이 없으면 시작할 수 없는 환경이 되어있다. 이런 환경에서 스펙, 돈, 인맥, 실력이 없어도 돈을 벌수 있는 기회가 주어진다면? 하겠는가? 가장 큰 걸림돌인 스펙, 돈, 인맥, 실력이 없어도 할 수 있다면 무엇을 망설이겠는가? 무조건 해야 된다. 당연한 것이다. 안 하면 바보다. 몰랐으면 모를까 안다면 무조건 해야 된다.

물건 파는 장사로 예를 들겠다. 전자책도 한 권 출간하면 물건처럼 팔리기 때문이다. 물건을 파는 장사꾼이라면 월세, 물건 관리비, 배송비, 보관비, 인건비, 홍보비... 등 여러 가지 비용이 발생하고 신경 써야 될 것이 한두 가지가 아니다. 하지만 전자책 한 권을 만들어서 유페이퍼에 전자책을 등록했다면 장사를 할 때 나가는 월세, 물건 관리비, 배송비, 보관비, 인건비, 홍보비... 등을 유페이퍼에서 다 해준다는 것이다.

자신은 전자책만 써서 유페이퍼에 등록만 하면 된다는 것이다. "당신에게 유페이퍼출판사가 왜! 천재일우일까?"라는 말이 이제는 이해가 가는가? 당연히 글을 쓴다는 게 쉽지는 않을 수 있다. 일단 글을 쓴다는 게 쉽지 않다는 것을 제외하면 1차원적으로 봤을 때 전자책을 유페이퍼에서 출간한다는 것은 단점이 10% 라면 장점이 90%라는 것이다. 가장 큰 장점은 전자책 한번 출간을 하면 지속적인 수입이 발생한다는 것이다. 전자책 한 권 만들어 재능마켓(크몽, 탈잉, 클래스101...등)에 등록하면 여러 가지 수입을 창출할 수도 있다는 것이다.

요즘 대세고 앞으로도 대세인 무인시스템을 구축 할 수 있다는 것이다.

20,000명 심리 상담, 코칭으로 알게 된 사람들이 바라는 6가지 무인 시스템!

1. 커피숍에서 지인과 대화 중에도 돈이 입금되는 무인 시스템?
2. 자고 있는데 돈을 버는 무인 시스템?
3. 여행 중에도 돈이 입금되는 무인 시스템?
4. 사무실, 직원이 필요 없는 무인 시스템?
5. 건물주처럼 월세가 입금되는 무인 시스템?
6. 집에서 댕댕이와 휴식하고 있는데 돈이 입금되는 무인 시스템?

전자책 출간으로 6가지 무인 시스템이 가능하다면 무조건 해야 되는 거 아닌가? 안 하면 바보인 것이다.
필자가 지금까지 종이책 150권, 전자책 250권 총 400권을 출간했다. 출간한 책 권수만 보면 학창 시절부터 책 쓰는 작가, 정규코스를 거쳐서 책을 쓰는 것처럼 보이지만 전혀 그렇지 않다.
필자의 본업은 동기부여 강사, 자기계발 코칭 전문가, 방탄book기술력 코칭 전문가이다. 건축을 전공했고 강사일을 하기 전에 책 쓰는 일과 전혀 상관없는 일을 했던 사람이었다. 학창 시절부터 필자의 글씨는 악필이었다. 그래서 글씨 쓰는 것을 싫어하는 정도가 아니라 콤플렉스라 생각하는 사람이었다. 글 쓰는 일, 책 출간 직업과 전혀 상관없는 일을 하다가 어떻게 6년 동안 종이책 150권, 전자책 250권 총 400권을 출간을 했을까? 책 쓰기, 책 출간 방법이 아니라 책 쓰기, 책 출간 기술력을 알고 있기 때문에 가능했다는 것이다. 책 쓰기, 책 출간 방법을 배우면 한 권 출간하지만 방탄book기술력을 배우면 10권, 100권, 200권... 을 출간할 수 있다는 것이다.

누군가는 전자책 출간 방법을 배워서 전자책 1권만 출간한다.
누군가는 전자책, 종이책 출간 방법을 배워서 전자책, 종이책을 동시에 출간한다.
누군가는 전자책, 종이책 출간 기술력을 배워서 전자책, 종이책을 동시에 출간하고 끝나는 것이 아니라 방탄book기술력(수입 창출 6가지 시스템)과 연결하여 6가지 수입을 발생 시킨다.
당신이라면 어떤 선택을 할 것인가? 그래서 당신에게 유페이퍼출판사가 천재일우라고 하는 것이다. 당신에게 천재일우인 유페이퍼 등록 매뉴얼 무인 시스템 설명을 시작한다.

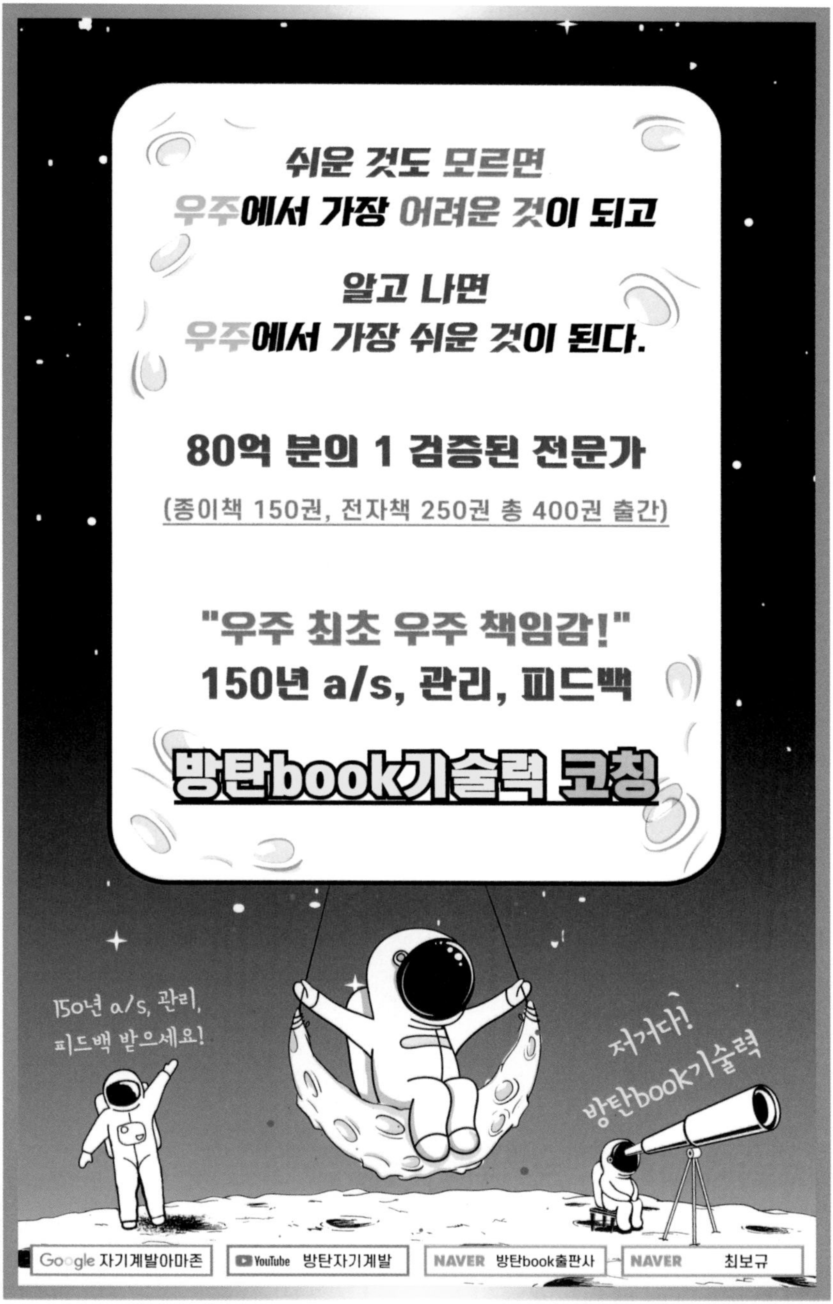

쉬운 것도 모르면
우주에서 가장 어려운 것이 되고
알고 나면
우주에서 가장 쉬운 것이 된다.
80억 분의 1 검증된 전문가
(종이책 150권, 전자책 250권 총 400권 출간)
"우주 최초 우주 책임감!"
150년 a/s, 관리, 피드백
방탄book기술력 코칭
150년 a/s, 관리, 피드백 받으세요!
저거다! 방탄book기술력
Google 자기계발아마존
YouTube 방탄자기계발
NAVER 방탄book출판사
NAVER 최보규

한글(HWP) 원고로 전자책(PDF)만들기 매뉴얼

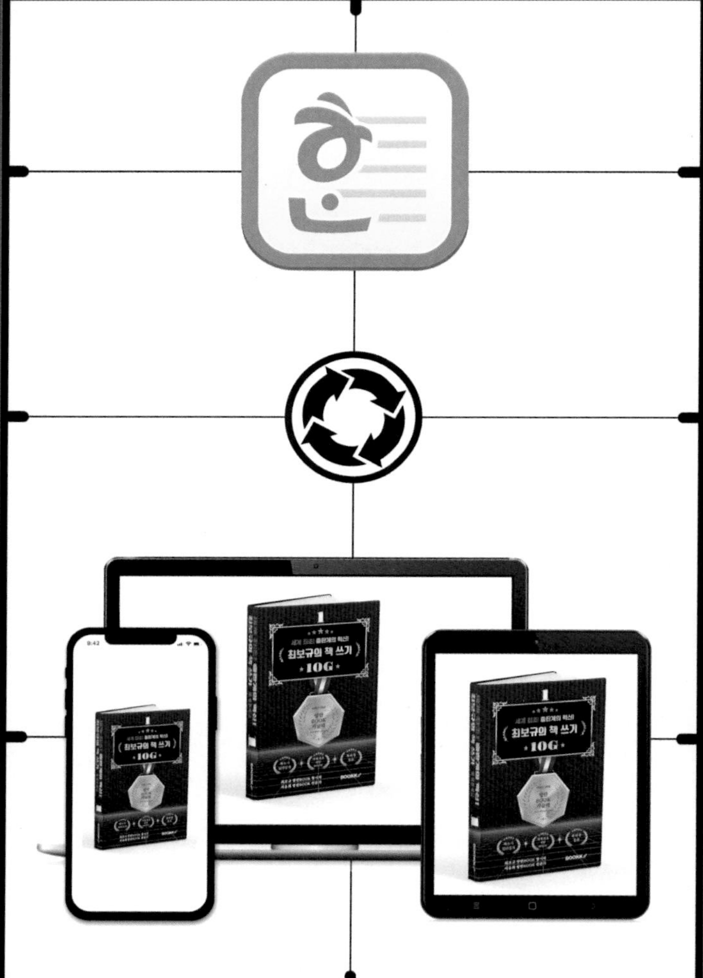

전자책 만들기 매뉴얼
원고 작업 끝난
한글(HWP) 원고
PDF

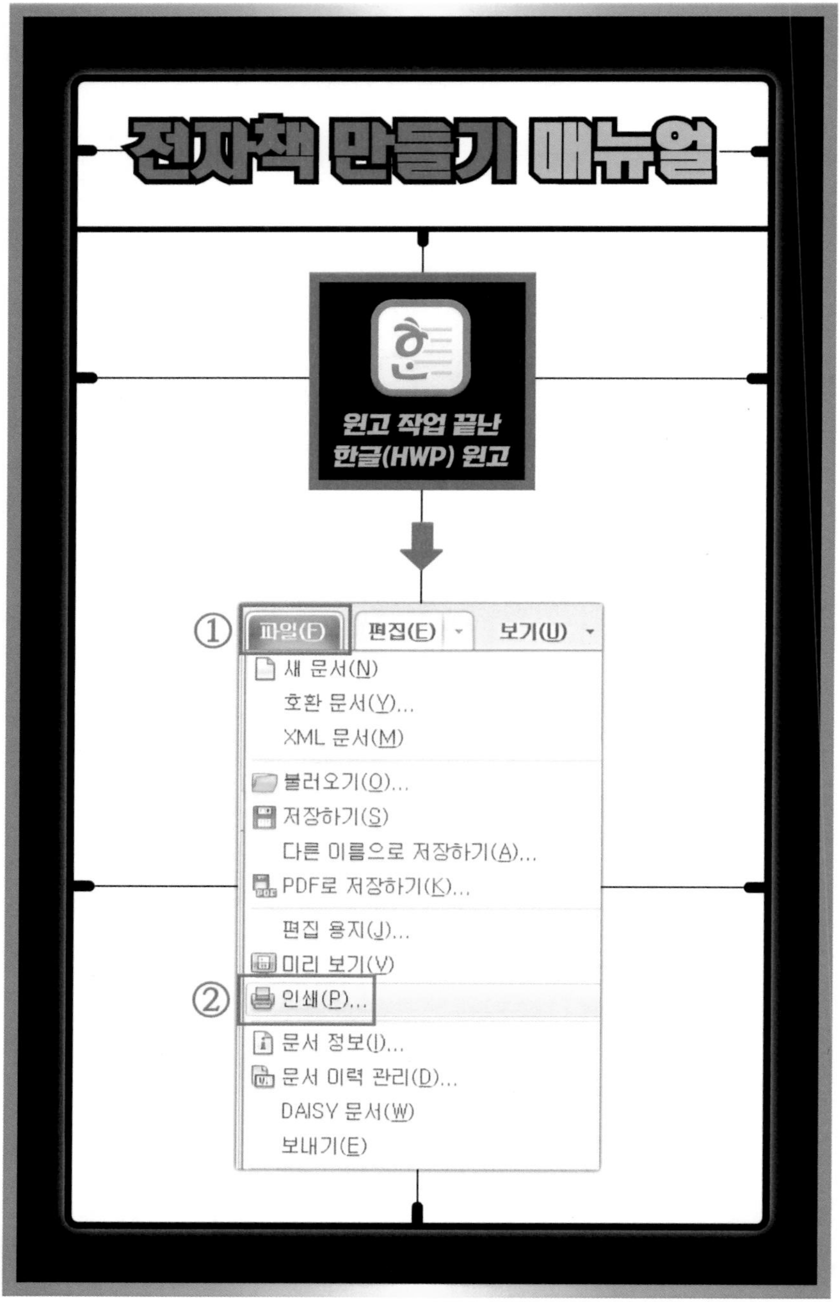

전자책 만들기 매뉴얼
원고 작업 끝난
한글(HWP) 원고
①
파일(F)
편집(E)
보기(U)
새 문서(N)
호환 문서(Y)...
XML 문서(M)
불러오기(O)...
저장하기(S)
다른 이름으로 저장하기(A)...
PDF로 저장하기(K)...
편집 용지(J)...
미리 보기(V)
②
인쇄(P)...
문서 정보(I)...
문서 이력 관리(D)...
DAISY 문서(W)
보내기(E)

① 한글(HWP)프로그램 파일. 한글(HWP)원고 작업한 한글 파일 원고에서 파일을 클릭.

② 인쇄. 바로 PDF로 저장하는 것이 아니다. 그 이유는 원고 작업이 끝난 뒤 탈고, 퇴고를 하기 위해서 모아찍기(2쪽씩)로 원고 전체 인쇄를 하여 오타 체크를 했기에 모아찍기(2쪽씩)가 아닌 기본 인쇄로 바꿔줘야만 PDF로 저장 했을 때 한 장에 2페이지가 아닌 한 장에 1페이지씩 나온다.

전자책(PDF)등록 할 때 한 장에 2페이지씩 나오면 승인되지 않는다. 전자책(PDF)은 한 장에 1페이씩 나와야 한다.

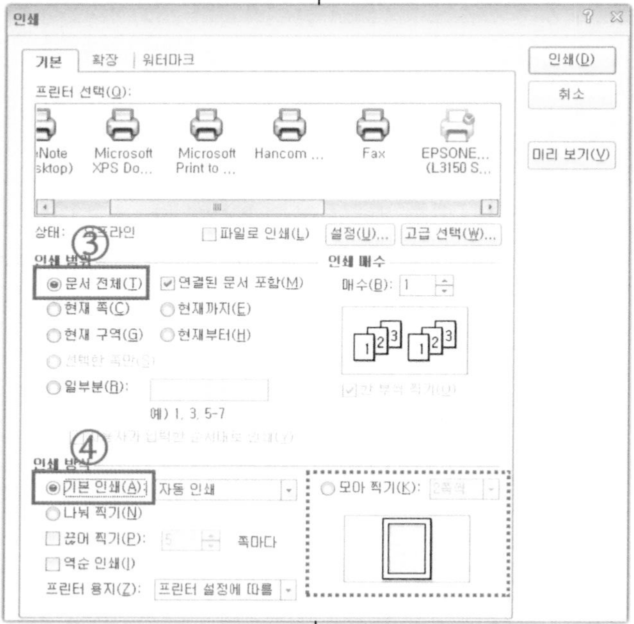
인쇄
기본
확장
워터마크
인쇄(D)
취소
미리 보기(V)
프린터 선택(O):
Microsoft XPS Do...
Microsoft Print to ...
Hancom ...
Fax
EPSONE... (L3150 S...
상태:
파일로 인쇄(L)
설정(U)...
고급 선택(W)...
③
인쇄 범위
문서 전체(T)
연결된 문서 포함(M)
현재 쪽(C)
현재까지(E)
현재 구역(G)
현재부터(H)
선택한 쪽만(S)
일부분(R):
예) 1, 3, 5-7
인쇄 매수
매수(B): 1
④
인쇄 방식
기본 인쇄(A):
자동 인쇄
모아 찍기(K):
나눠 찍기(N)
끊어 찍기(P):
쪽마다
역순 인쇄(I)
프린터 용지(Z):
프린터 설정에 따름

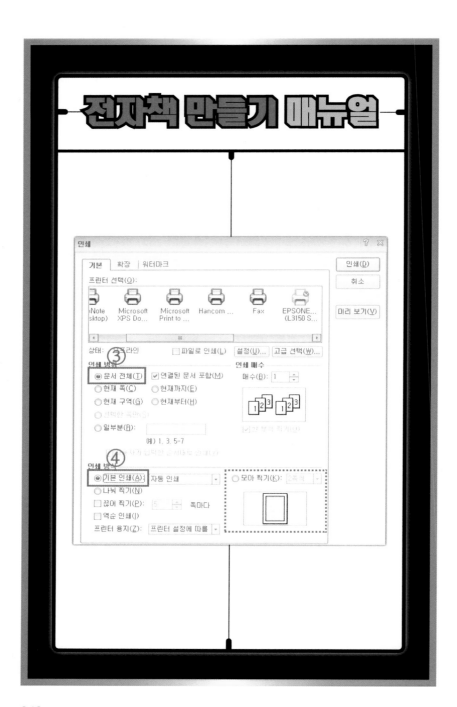

③ 문서 전체.

④ 기본 인쇄. 모아 찍기(2쪽씩)로 체크 되어 있으면 기본 인쇄로 체크한다.

PDF로 저장을 하기 전에 인쇄에 들어가서 모아 찍기가 아닌 기본 인쇄로 해야만 출판사에 전자책 등록이 된다. 처음부터 사소한 것을 잘 지켜야만 시행착오를 줄일 수 있다.

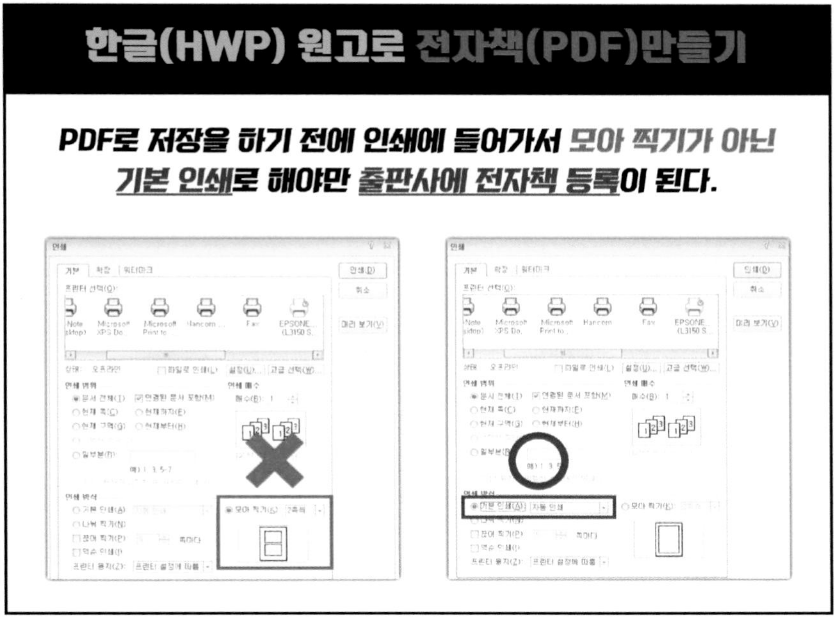

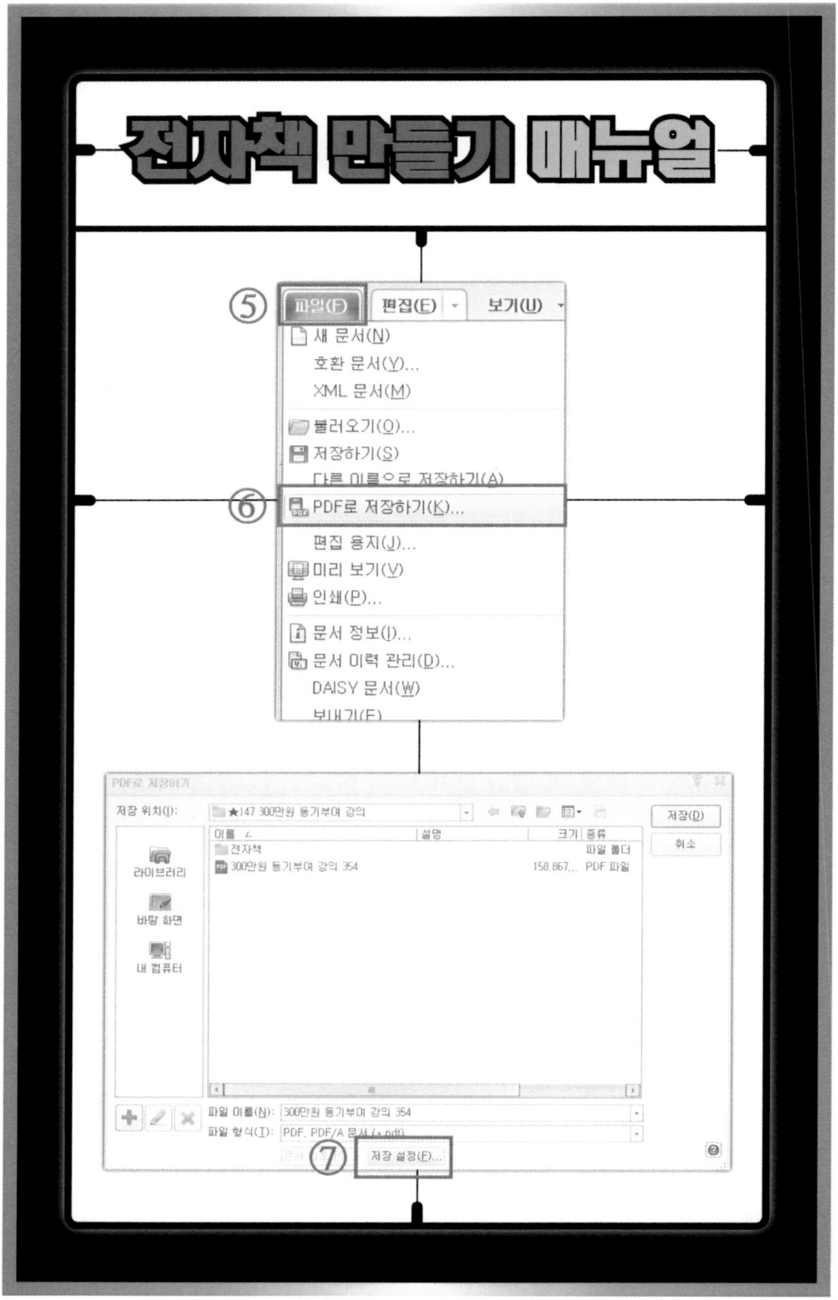
전자책 만들기 매뉴얼
⑤
파일(F)
편집(E)
보기(U)
새 문서(N)
호환 문서(Y)...
XML 문서(M)
불러오기(O)...
저장하기(S)
⑥
PDF로 저장하기(K)...
편집 용지(J)...
미리 보기(V)
인쇄(P)...
문서 정보(I)...
문서 이력 관리(D)...
DAISY 문서(W)
저장 위치(I):
★147 300만원 동기부여 강의
저장(D)
취소
이름
설명
크기
종류
전자책
파일 폴더
300만원 동기부여 강의 354
158,867...
PDF 파일
라이브러리
바탕 화면
내 컴퓨터
파일 이름(N):
300만원 동기부여 강의 354
파일 형식(T):
⑦
저장 설정(F)...

⑤ 파일.

⑥ PDF로 저장하기.

⑦ 저장 설정.

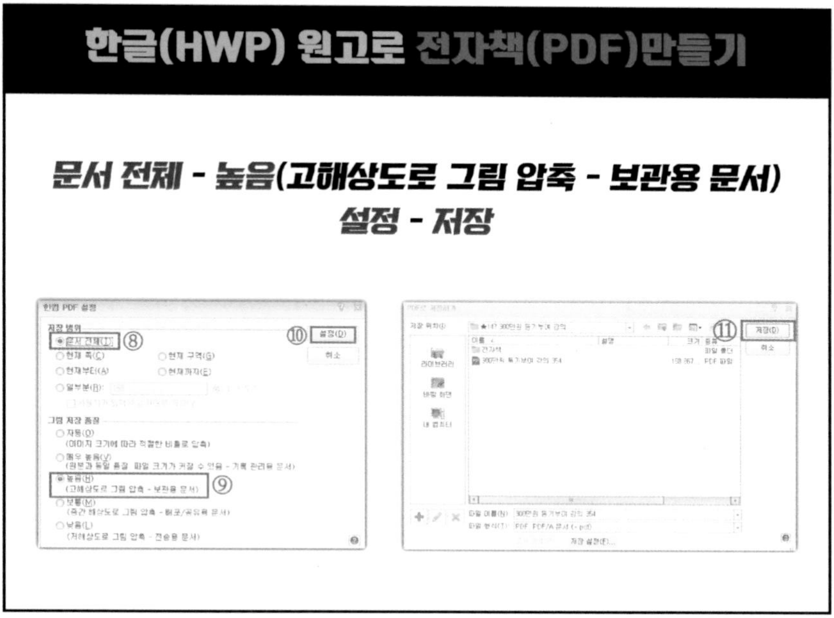

⑧ 문서 전체.

⑨ 높음(고해상도로 그림 압축 - 보관용 문서).

높음으로 저장하면 전자책(PDF)파일 용량이 늘어난다. 전자책(PDF)은 PC, 노트북, 스마트폰으로 보기 때문에 선명도가 낮으면 안 된다.

⑩ 설정.

⑪ 저장.

① ~ ⑪까지 진행하면 전자책을 취급하는 출판사에 등록할 수 있는 전자책(PDF) 원고를 완성한 것이다. 한번 만들어 놓은 전자책(PDF) 원고를 활용해서 21세기 황금알을 낳는 거위라는 무인 자동 시스템을 만들 수 있다.

전자책(PDF)으로

1. 커피숍에서 지인과 대화 중에도 돈이 입금되는 시스템?
2. 자고 있는데 돈을 버는 시스템?
3. 여행 중에도 돈이 입금되는 시스템?
4. 사무실, 직원이 필요 없는 시스템?
5. 건물주처럼 월세가 입금되는 시스템?
6. 집에서 댕댕이와 휴식하고 있는데 돈이 입금되는 시스템?

월세, 연금성 수입을 발생시키는 전자책은 선택이 아닌 필수다.

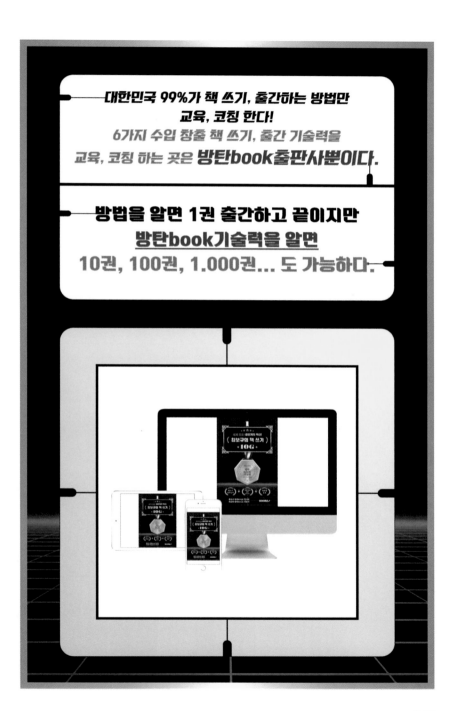

대한민국 99%가 책 쓰기, 출간하는 방법만
교육, 코칭 한다!
6가지 수입 창출 책 쓰기, 출간 기술력을
교육, 코칭 하는 곳은 **방탄book출판사뿐이다.**

방법을 알면 1권 출간하고 끝이지만
방탄book기술력을 알면
10권, 100권, 1.000권... 도 가능하다.

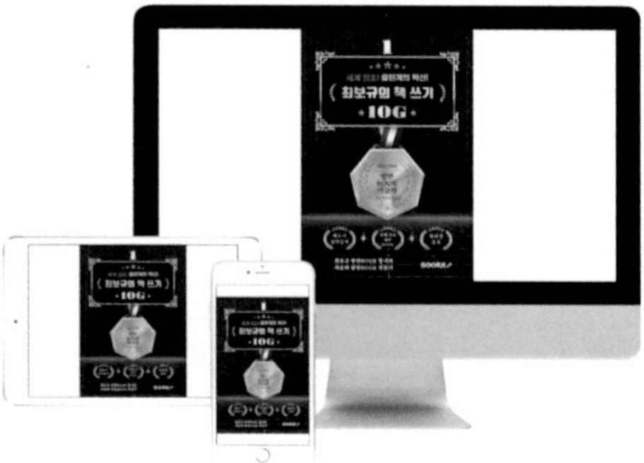

전자책 출판사 등록 매뉴얼
유페이퍼
①
분류 신규 인기 추천 대여 할인 다운 페이퍼
[최보규] 검색어 콘텐츠 149
300만원 동기부여 강의
리더의 방탄 소통 7
리더의 방탄 소통 6
리더의 방탄 소통 5

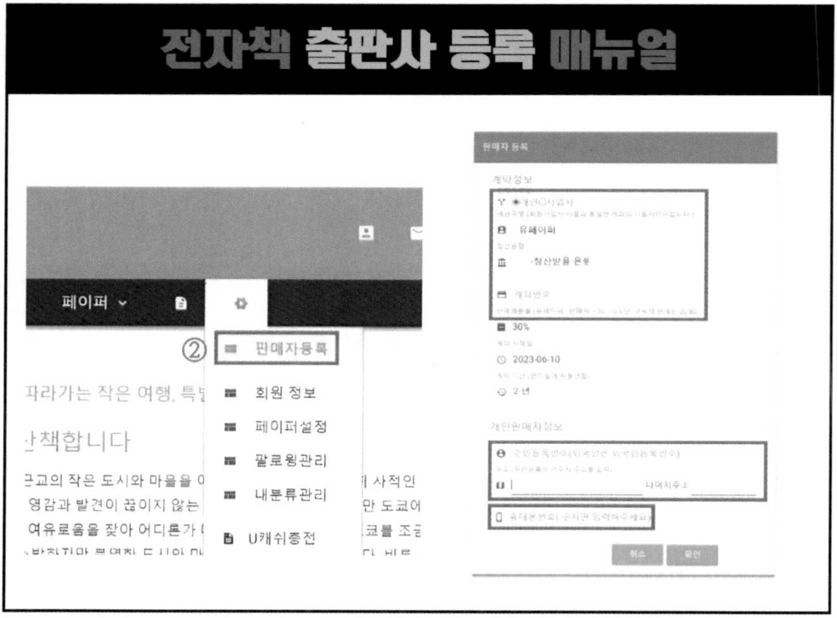
전자책 출판사 등록 매뉴얼
페이퍼
②
판매자등록
회원 정보
페이퍼설정
팔로윙관리
내분류관리
U캐쉬충전
판매자 등록
계약정보
유페이퍼
-정산받을 은행
30%
2023-06-10
2 년
개인판매자정보
나머지주소
취소
확인

★ 전자책 출판사 등록 매뉴얼

① 로그인. 회원가입 후 로그인

② 판매자 등록. 전자책을 판매하기 위해서 판매자 등록을 해야 한다. 개인 또는 사업자는 출판사를 보유하고 있거나, 사업자등록증을 보유한 경우에만 사업자를 선택하면 된다. 이름, 정산 받을 은행, 계좌번호(이름과 계좌번호 일치)입력하면 된다.

판매 배분율.

콘텐츠를 판매 후 기본 수익쉐어 배분율로 30%를 유페이퍼가 가지며, 70%를 정산해 준다.

판매자가 기간 구독제를 만들어 판매한 경우는 유페이퍼 20%, 판매자 80% 정산을 해준다.

유페이퍼에 판매 등록되는 콘텐츠는 국내외 전자책 제휴사에 자동 전송되어 판매가 이루어지는데 제휴사 판매분은 제휴사 배분율에 따라 차이가 있으나 기본적으로 이런 경우 유페이퍼에서는 10%를 수익으로 한다. 예를 들면 제휴사에서 30%를 수익으로 하고 유페이퍼에 70%를 넘겨주면 이중 유페이퍼 수익은 10%, 판매자 수익은 60%가 된다. 즉 제휴사 : 유페이퍼 : 판매자는 3:1:6의 구조가 된다.

계약 시작일, 계약기간

신청 당일 날짜로 판매자 전환하면 곧바로 콘텐츠를 판매 등록 가능하다. 계약기간은 별도 요청이 없으면 만기일에 해당 기간만큼 자동 연장된다.

주민등록번호, 주소 입력, 휴대폰 번호.

주민등록번호와 주소가 추후 정산료 지급 때 소득세 3%, 주민세 0.3% 국세청으로 신고 들어가기에 주민번호와 주소가 불명확하면 정산 지급이 된다.

③ 콘텐츠 등록. 홈에서 톱니바퀴를 클릭하면 콘텐츠 등록이 나온다.

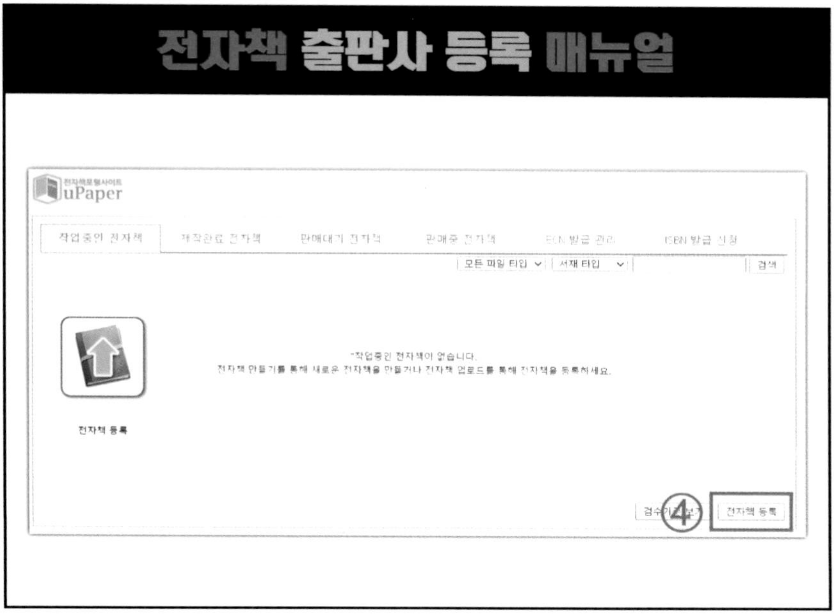

④ 전자책 등록. 등록할 전자책 세부적인 내용을 등록할 수 있는 페이지로 이동한다.

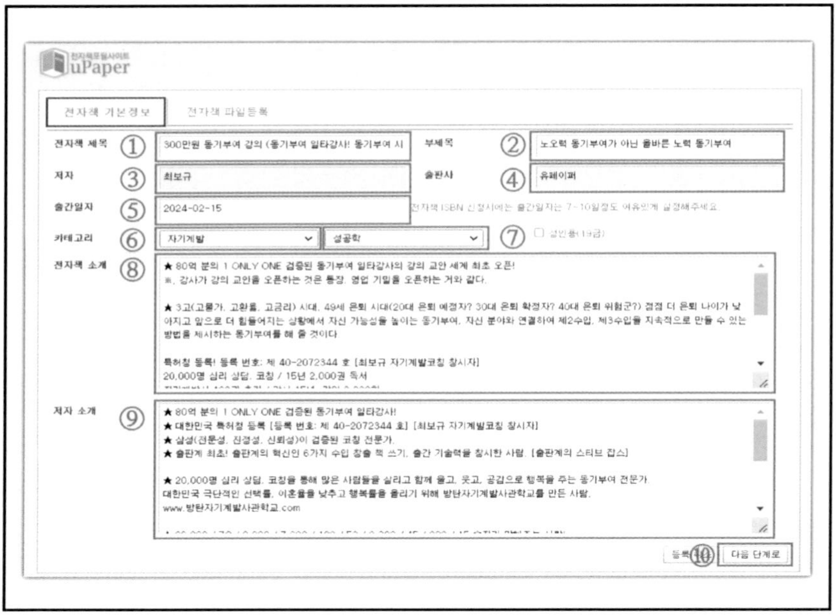

① 전자책 제목. 300만원 동기부여 강의 (동기부여 일타강사! 동기부여 사용 설명서!)

② 부제목. 노오력 동기부여가 아닌 올바른 노력 동기부여

③ 저자. 최보규

④ 출판사. 유페이퍼

⑤ 출간 일자. 2024. 01.17

(전자책 ISBN 신청시에는 출간 일자는 7~10일 정도로 여유 있게 설정을 한다.) 전자책 등록일로부터 1주일 뒤로 설정하면 된다. 예)전자책 등록일 2024. 01. 10이면 2024. 01. 17

⑥ 1차 카테고리. 자기계발
⑦ 2차 카테고리. 성공학
⑧ 전자책 소개.

★ 80억 분의 1 ONLY ONE 검증된 동기부여 일타강사의 강의 교안 세계 최초 오픈!

※. 강사가 강의 교안을 오픈하는 것은 통장, 영업 기밀을 오픈하는 거와 같다.

★ 3고(고물가, 고환율, 고금리) 시대, 49세 은퇴 시대(20대 은퇴 예정자? 30대 은퇴 확정자? 40대 은퇴 위험군?) 점점 더 은퇴 나이가 낮아지고 앞으로 더 힘들어지는 상황에서 자신 가능성을 높이는 동기부여, 자신 분야와 연결하여 제2수입, 제3수입을 지속적으로 만들 수 있는 방법을 제시하는 동기부여를 해 줄 것이다.

특허청 등록! 등록 번호: 제 40-2072344 호 [최보규 자기계발코칭 창시자]

20,000명 심리 상담, 코칭 / 15년 2,000권 독서

자기계발서 100권 출간 / 강사 15년, 강의 6,000회

7G 직업 (출판사 대표, 작가, 심리 상담사, 코칭 전문가, 강사, 유튜버, 한집의 가장)

45년간 습관 320가지 만듦...

많은 경력과 시행착오, 대가 지불, 인고의 시간을 통해 알게 된 동기부여를 세계 최초로 공개한다.

★ 어떤 강의에서도 말하지 못한 동기부여!
★ 어떤 강사도 말하지 못한 동기부여!
★ 어떤 책에도 없는 동기부여!
★ 어떤 영상에서도 볼 수 없는 내용의 동기부여!

⑨ 저자 소개.

★ 80억 분의 1 ONLY ONE 검증된 동기부여 일타강사!
★ 대한민국 특허청 등록 [등록 번호: 제 40-2072344호] [최보규 자기계발코칭 창시자]
★ 삼성(전문성, 진정성, 신뢰성)이 검증된 코칭 전문가.
★ 출판계 최초! 출판계의 혁신인 6가지 수입 창출 책 쓰기, 출간 기술력을 창시한 사람. [출판계의 스티브 잡스]
★ 20,000명 심리 상담, 코칭을 통해 많은 사람들을 살리고 함께 울고, 웃고, 공감으로 행복을 주는 동기부여 전문가.
대한민국 극단적인 선택률, 이혼율을 낮추고 행복률을 올리기 위해 방탄자기계발사관학교를 만든 사람.
www.방탄자기계발사관학교.com
★ 20,000 / 7G / 2,000 / 7,000 / 100 / 50 / 6,000 / 45 / 320 / 15 숫자가 말해주는 사람!
20,000명 심리 상담, 코칭.

7G 직업(출판사 대표, 작가, 심리 상담사, 코칭 전문가, 강사, 유튜버, 한집의 가장)
2,000권 독서. 7,000개 메모. 자기계발서 100권 출간.
100권 출간한 책으로 온라인 콘텐츠, 디지털 콘텐츠 제작하여 50층 온라인 건물주.
강의 6,000회. 45년간 습관 320가지 만듦. 강사 15년 차.
★ 최보규상(대한민국 노벨상)을 만든 사람.
최보규를 알고 있는 사람들에게 나다운 행복을 만들어 주기 위해 올바른 노력을 하는 사람.

⑩ 다음 단계로. 전자책 원고 파일, 표지 파일 등록, 목차 등록 창으로 이동한다.

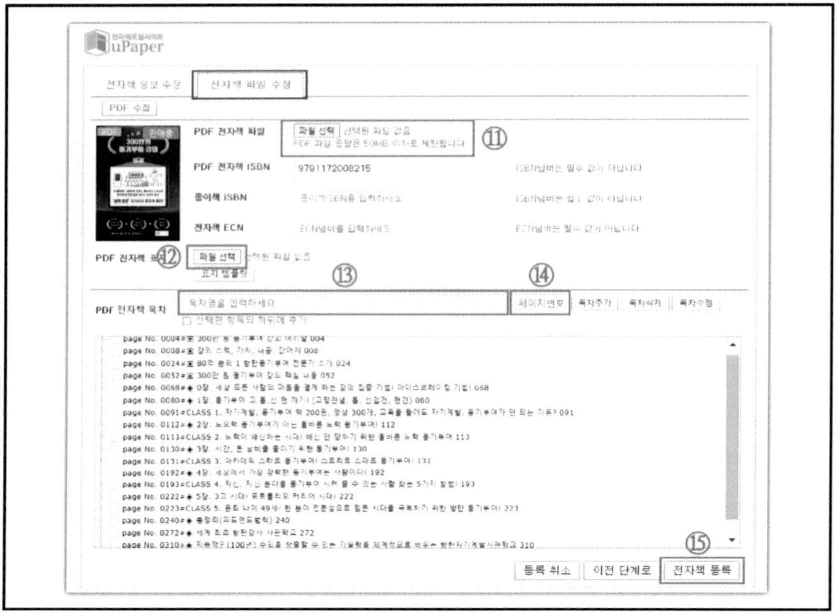

⑪ PDF 전자책 파일. **파일 선택을 클릭을 한 다음 전자책(PDF)등록 할 파일을 업로드하면 된다.**

(PDF 파일 용량은 50MB 이하로 제한되다.)

PDF원고 용량이 50MB가 넘을 때는 알PDF 프로그램에서 압축(PDF 최적화)을 하면 된다. 네이버에서 무료인 알PDF 다운로드하면 된다.

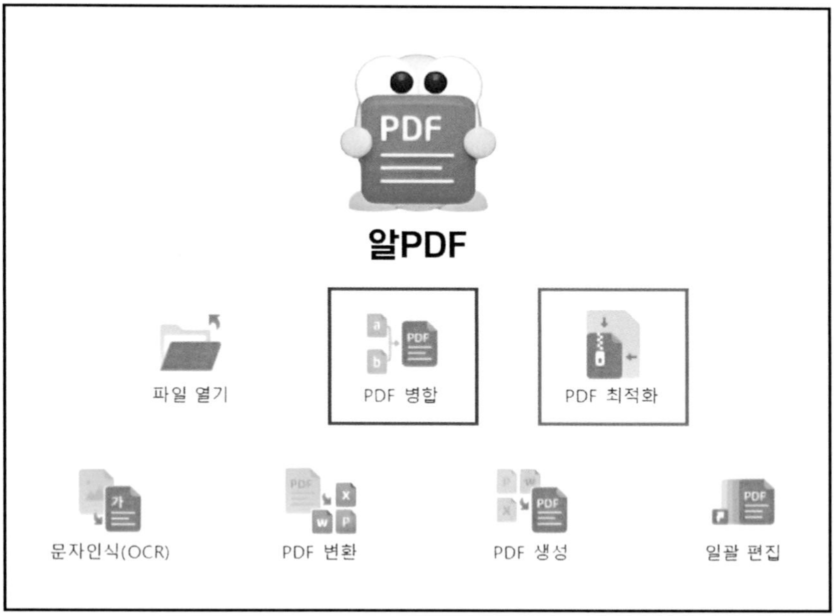

#. 원고 등록 할 때 중요사항.

PDF원고 첫 장은 유페이퍼 로고가 들어간 책 표지가 들어가야 되고 PDF원고 마지막 페이지에는 판권지에 책 가격이 들어가야 한다. 전자책 표지 제작을 PDF로 다운로드 한 다음 전자책 원고와 알PDF 프로그램에서 PDF병합을 한다.

전자책(PDF) 첫 페이지 유페이퍼 로고 들어간 표지

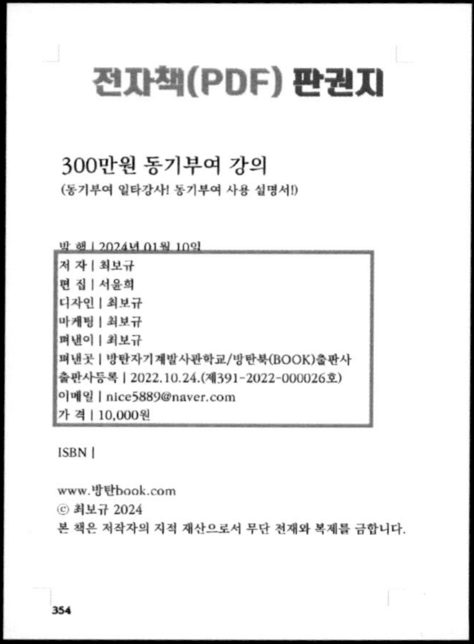

전자책(PDF) 판권지

300만원 동기부여 강의
(동기부여 일타강사! 동기부여 사용 설명서!)

발 행 | 2024년 01월 10일
저 자 | 최보규
편 집 | 서윤희
디자인 | 최보규
마케팅 | 최보규
펴낸이 | 최보규
펴낸곳 | 방탄자기계발사관학교/방탄북(BOOK)출판사
출판사등록 | 2022.10.24.(제391-2022-000026호)
이메일 | nice5889@naver.com
가 격 | 10,000원

ISBN |

www.방탄book.com

354

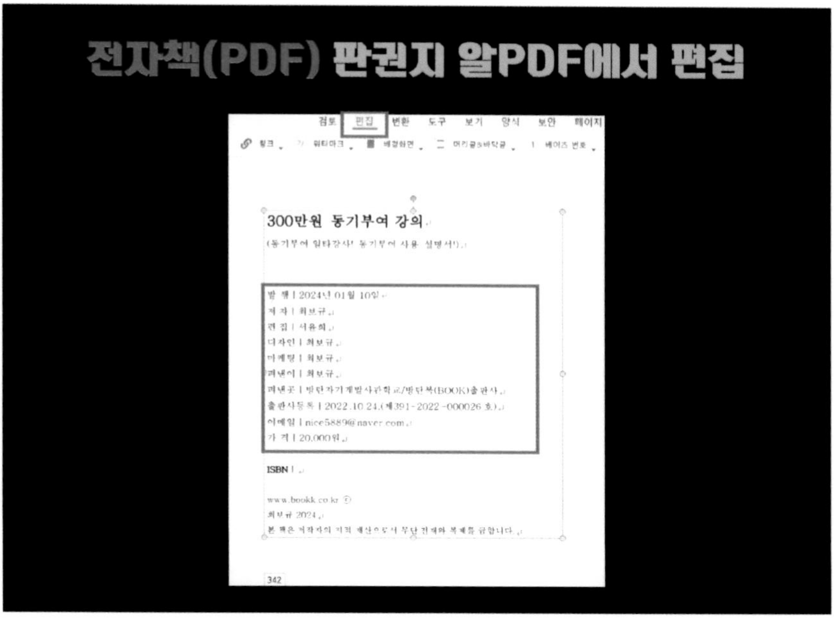
전자책(PDF) 판권지 알PDF에서 편집
검토
편집
변환
도구
보기
양식
보안
페이지
300만원 동기부여 강의
(동기부여 일타강사! 동기부여 사용 설명서!)
발 행 | 2024년 01월 10일
저 자 | 최보규
편 집 | 서윤희
디자인 | 최보규
마케팅 | 최보규
펴낸이 | 최보규
펴낸곳 | 방탄자기계발사관학교/방탄북(BOOK)출판사
출판사등록 | 2022.10.24.(제391-2022-000026 호)
이메일 | nice5889@naver.com
가 격 | 20,000원
ISBN |
www.bookk.co.kr
최보규 2024
본 책은 저작자의 지적 재산으로서 무단 전재와 복제를 금합니다.
342

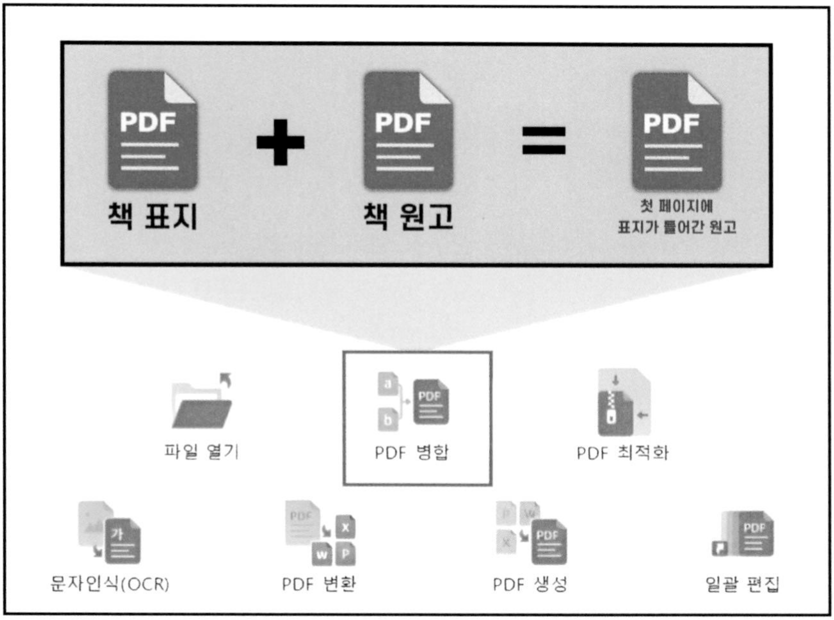
PDF
책 표지
PDF
책 원고
PDF
첫 페이지에
표지가 들어간 원고
파일 열기
PDF 병합
PDF 최적화
가
문자인식(OCR)
PDF 변환
PDF 생성
일괄 편집

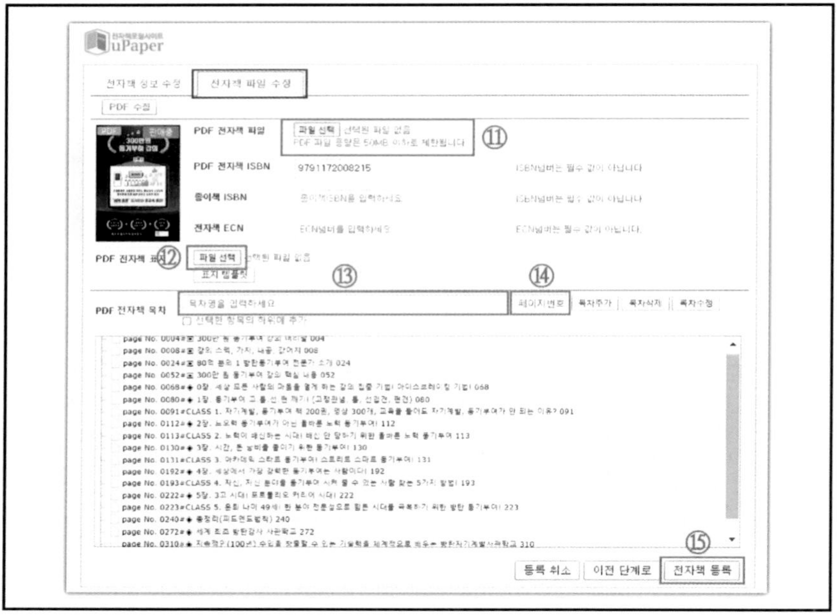

⑫ PDF 전자책 표지. **파일 선택을 클릭을 한 다음 만들어 놓은 전자책 표지 등록.**

#. 이미지 파일(jpg, gif, png)만 선택이 가능.

⑬ 목차 명 입력. **목차 명을 하나씩 입력해야 한다. 원고 작성한 한글에서 목차 전체를 복사한 다음 붙여넣기 하면 좋겠지만** 프로그램 특성상 한 번에 붙여넣기가 되지 않는다. 목차 한 문장씩 복사해서 넣어야 된다.

⑭ 페이지 번호 입력. **전자책 페이지 번호를 입력한다.**

⑮ 전자책 등록. **전자책 기본 정보 입력이 끝났다. 판매 신청을 하기 위한 단계로 넘어간다.**

① 콘텐츠 등록. 메인 페이지에서 톱니바퀴에 있는 콘텐츠 등록으로 들어간다.

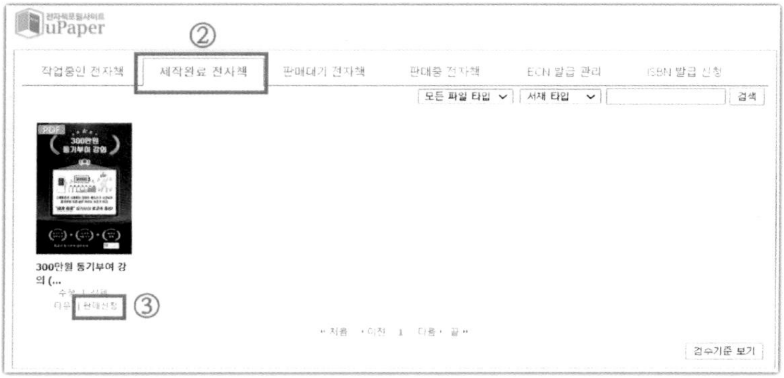

② 제작 완료 전자책. 제작 완료 전자책을 클릭한다.

③ 판매신청. 판매 신청으로 들어가면 책 가격 설정과 판매 제휴사 선택을 할 수 있다.

④ DRM. DRM 적용 할 때 UCASH 500씩 차감된다.

[Digital Rights Management] 디지털 콘텐츠의 무단 사용을 막아, 제공자의 권리와 이익을 보호해 주는 기술과 서비스를 통틀어 일컫는 말이다. 불법 복제와 변조를 방지하는 기술 등을 제공한다. 전자책 한 권 등록할 때

500원이 들어간다.

⑤ 판매 가격. 전자책 가격을 정한다. 500원 ~ 20,000원까지 설정할 수 있다. 전자책 평균 가격은 10,000원이다.

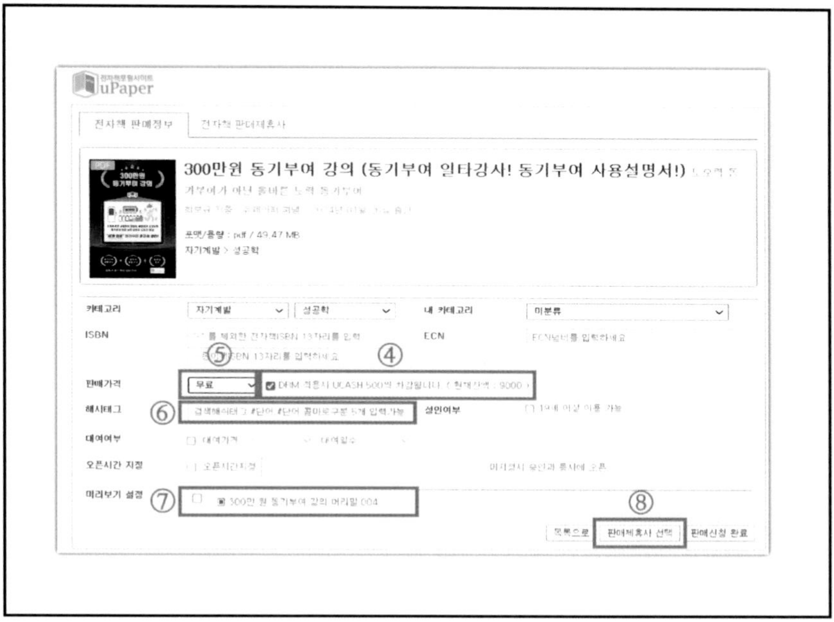

⑥ 해시태그. 검색 해시 태그를 5개까지 입력 가능하다.

⑦ 미리 보기 설정. 미리 보기 설정은 무료로 몇 페이지까지 오픈할 것인지를 설정하는 곳이다. 대부분 머리말, 목차까지 오픈을 한다.

⑧ 판매 제휴사 선택. **온라인 판매 제휴사 선택 페이지로 이동한다.**

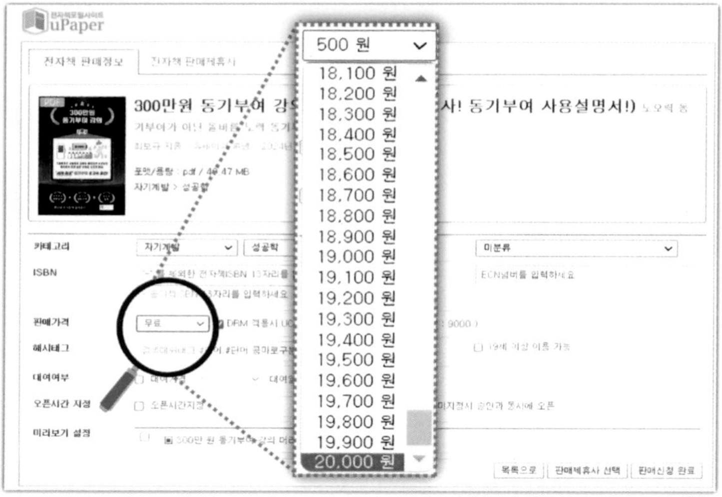

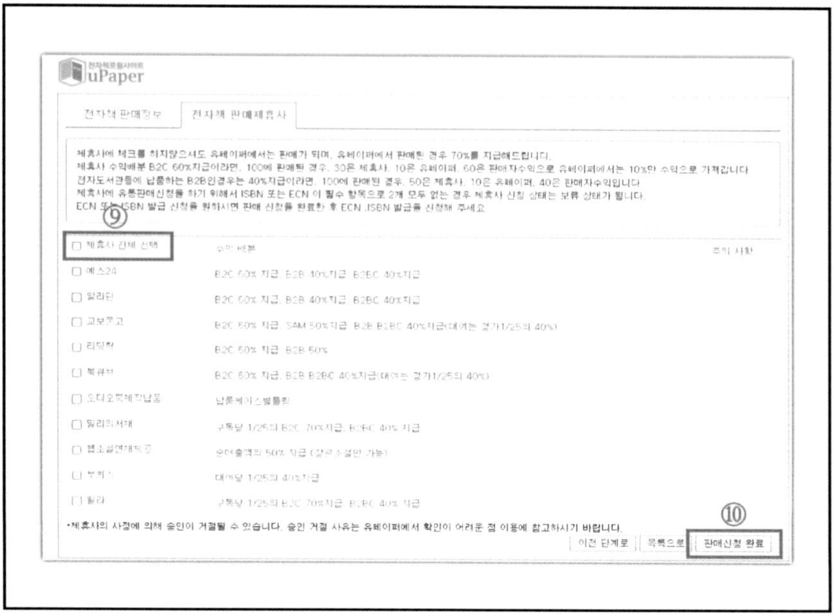

⑨ 제휴사 선택. 제휴사 전체 선택을 체크하면 제휴되어 있는 전체 제휴사가 선택된다.

⑩ 판매 신청 완료. 판매 신청을 클릭하면 마지막 단계인 책의 주민등록번호인 ISBN 발급 신청을 할 수 있다.

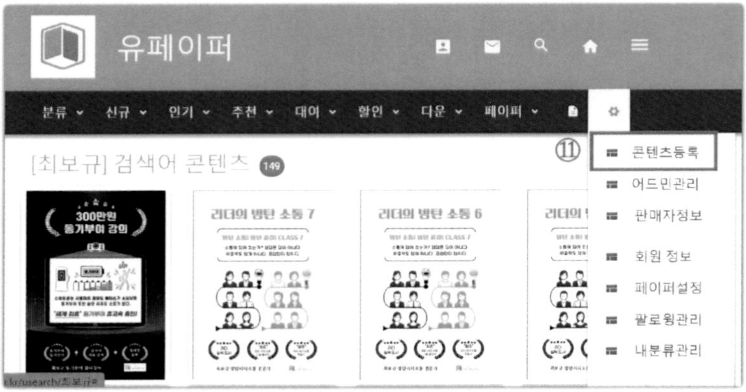

⑪ ISBN 발급 신청 페이지로 이동하기 위해서 홈페이지 메인화면으로 이동 후 콘텐츠 등록 클릭.

⑫ ISBN 발급 신청 카테고리 클릭.

⑬ 등록한 전자책 체크.

⑭ ISBN 발급 신청 클릭.

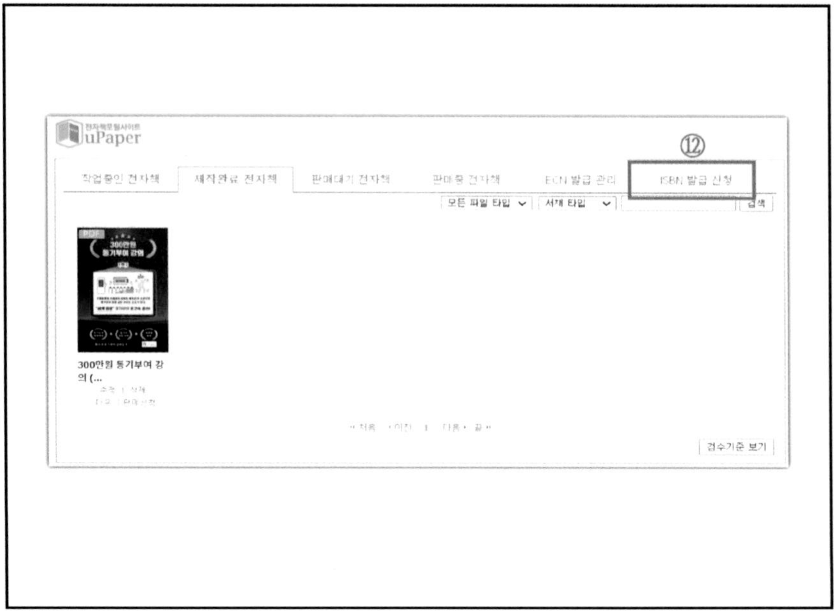
uPaper
⑫
작업중인 전자책
제작완료 전자책
판매대기 전자책
판매중 전자책
ECN 발급 관리
ISBN 발급 신청
모든 파일 타입
서재 타입
검색
300만원 동기부여 강의 (...
검수기준 보기

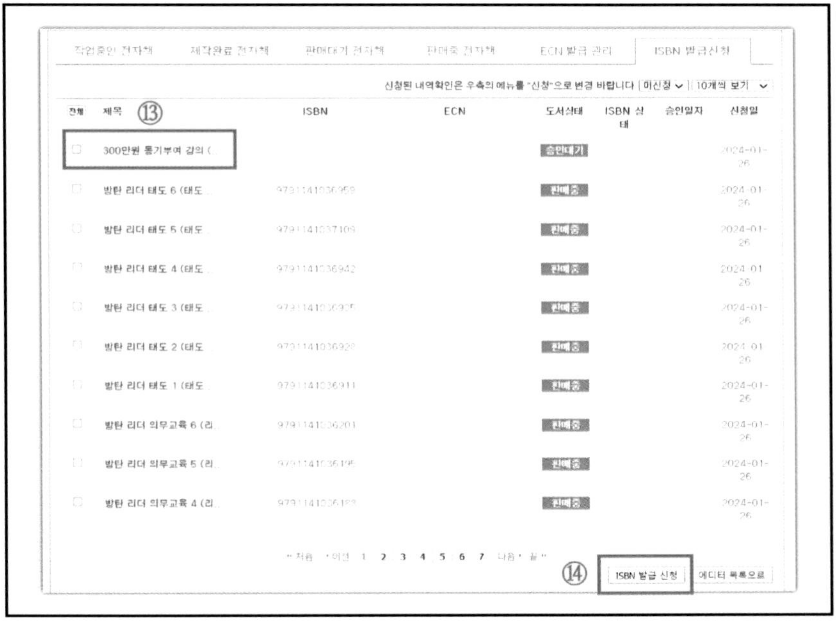
작업중인 전자책
제작완료 전자책
판매대기 전자책
판매중 전자책
ECN 발급 관리
ISBN 발급신청
신청된 내역확인은 우측의 메뉴를 "신청"으로 변경 바랍니다
미신청
10개씩 보기
전체
제목
⑬
ISBN
ECN
도서상태
ISBN 상태
승인일자
신청일
300만원 동기부여 강의 (
승인대기
방탄 리더 태도 6 (태도
방탄 리더 태도 5 (태도
방탄 리더 태도 4 (태도
방탄 리더 태도 3 (태도
방탄 리더 태도 2 (태도
방탄 리더 태도 1 (태도
방탄 리더 의무교육 6 (리
방탄 리더 의무교육 5 (리
방탄 리더 의무교육 4 (리
판매중
1 2 3 4 5 6 7
⑭
ISBN 발급 신청
에디터 목록으로

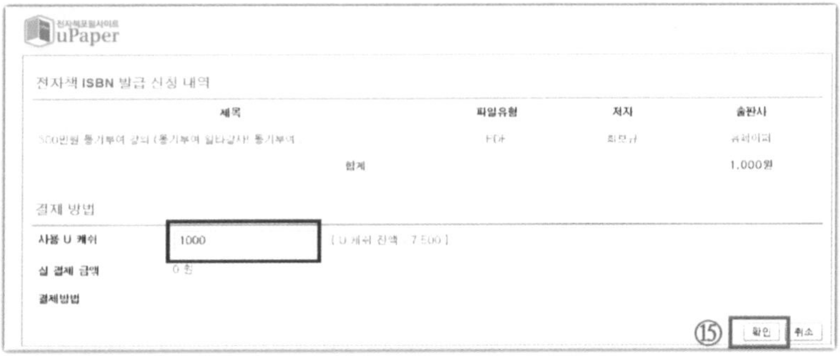
uPaper
전자책 ISBN 발급 신청 내역
제목
파일유형
저자
출판사
합계
1,000원
결제 방법
사용 U 캐쉬
1000
실 결제 금액
결제방법
⑮
확인
취소

콘텐츠등록
어드민관리
판매자정보
회원정보
페이퍼설정
팔로윙관리
내분류관리
U캐쉬충전
U쿠폰관리
내선물함
U캐쉬내역
구매내역
구독내역

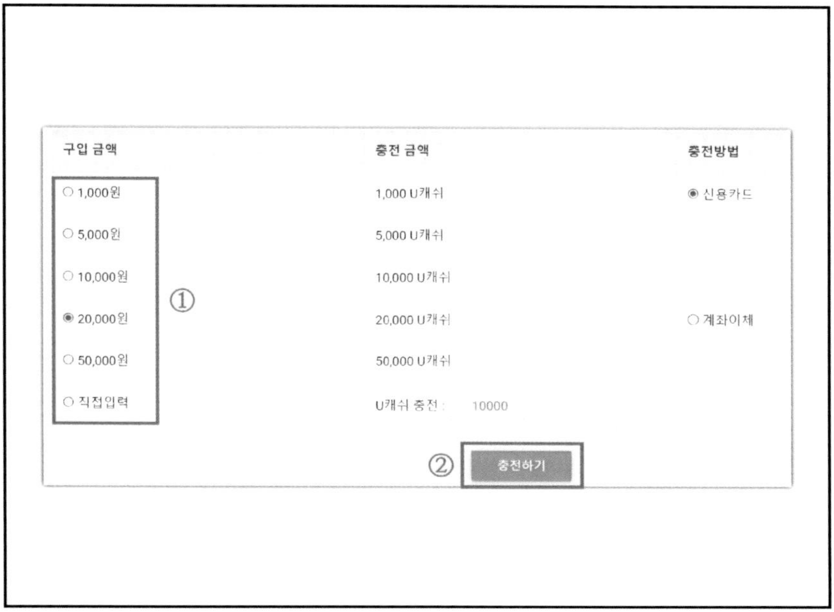

#. ISBN 발급 신청은 무료가 아니다. 한 권 신청 할 때 1,000원의 비용이 발생한다. 유페이퍼출판사의 U캐쉬가 있다면 ⑮확인만 누르면 되자만 U캐쉬가 없다면 충전을 해야 한다.

U캐쉬 충전을 하려면 홈페이지 메인화면에서 톱니바퀴 클릭하면 U캐쉬충전이 나온다. 기본 1,000원에서 50,000만 원까지 가능하다. 충전하기 누르면 결제 창이 뜨고 결제를 한 다음 ⑫번 ISBN 발급 신청을 하면 마무리가 된다. 심사, 승인은 2~3일 정도 걸린다.

- 심사, 승인 기준

표지

• 표지에 도서명, 저자명, 출판사명은 필수 요소입니다.

• 표지는 가로 700px / 세로 1000px 사이즈가 유페이퍼 뷰어에 적합하며, 가로 사이즈 기준으로 600px이상 1000px이내에서 설정해주시기 바랍니다.

• 성인 도서는 '19세 미만 구독 불가' 빨간 띠지 를 삽입해 주시기 바랍니다.

• EPUB과 PDF 모두 파일 첫 장에는 표지가 있어야 합니다.

판권

• EPUB, PDF 파일 내부에는 판권이 있어야 합니다.

• 도서명, 저자명, 출판사명, 출간일, 정가는 반드시 포함되어야 합니다.

• 판권은 독자의 가독성을 위해 가급적 도서 마지막에 설정해 주시기 바랍니다.

가격

• 도서 종류에 따라 가격 설정은 상이하나, 정가를 10,000원 이상으로 하시려면 글자 수 10만 자 이상, 7,000원 이상은 5만 자 이상의 분량이어야 합니다.

• 기존에 판매 중인 도서의 정가 인상은 기존 정가의

30% 내에서 가능합니다.

• 한국출판문화진흥원의 '도서정가제'를 참고해 주시기 바랍니다.

공통된 승인 거절 기준

• 이미 판매 중인 도서를 중복으로 판매 신청하면 승인이 거절됩니다.

• 미완성작, 편집이 덜 된 도서, 테스트 도서는 승인이 거절됩니다.

• 출판사가 아닌 개인인 경우, 출판사명이 '유페이퍼'여야 합니다. (출판사/인쇄사 검색 시스템)에 검색되지 않는 출판사명은 승인거절)

• 도서 소개, 저자 소개의 분량은 4000bytes 이내로 조정해 주시기 바랍니다.

AI제작된 전자책의 판매유통중지

• GPT등 수많은 AI를 이용하여 전자책을 제작, 유통하는 콘텐츠중에서 전국 전자도서관으로부터 클레임이 발생되어 수백여권 B2B판매가 전면 판매중지되었습니다. 따라서 유페이퍼내에서 AI제작된 콘텐츠에 대한 검수강화되었으며, 승인되었더라도 제휴사 유통이 불가할수 있습니다.

승인거절 및 제휴사 판매중지 사례

1) 나열식으로 정리되어 많은것 처럼 보이나 실제 읽어 보면 내용이 허접하고 핵심이 없는 콘텐츠들

2) AI로 작성여부 상관없이 분량대비 가격 높이 책정한 콘텐츠들은 판매불가 (통상 종이책으로 출판된 콘텐츠가 전자책으로 판매시 300페이지 기준 1만원수준이므로 100페이지 3천원선이 적당), (크몽등 재능기부 프리랜서 마켓에서 판매되는것과 유페이퍼 ISBN을 발급받아 정식 출판되어 영원히 기록으로 남는 전자책은 차원이 틀립니다.)

3) 전자책출판교육으로 동일주제 동일콘텐츠로 표지와 작가가 틀리게 등록되는 콘텐츠는 소수만 승인되고 다 거절처리 (제목과 내용이 틀리면 승인)

참고사항

- 동일한 도서를 PDF와 EPUB으로 판매하실 경우, 도서명, 저자명, 정가 등이 동일해야 합니다.
- 등급과 가격 설정은 제공자의 책임과 권한이나. 판단에 따라 수정을 요청할 수 있습니다.
- 간행물윤리위원회(www.kpec.or.kr)의 <심의 대상 및 심의 기준>에 의거하여 승인을 거절하거나 수정요청을 할 수 있습니다.
- 직거래 제휴사를 중복 판매 신청하지 않게 주의해 주

시기 바랍니다.

• 판매 중인 도서를 수정하여 재판 매신청 하시면 보름간의 판매대기 기간이 발생합니다.

판매 신청 하기 전 마지막으로 확인하기

• 표지는 제대로 들어가 있는가
• 목차의 이름은 제대로 들어가 있는가
• 판권의 내용은 올바르게 들어가 있는가
• 오탈자를 포함한 본문의 편집은 완료되었는가

<유페이퍼>

강사 비수기 5개월 극복 시스템
방탄강사기술력 12단계 시스템

방탄자기계발사관학교
최보규 참모총장
특허청 등록
최보규 자기계발코칭 창시자
등록 번호: 제 40-2072344 호
특허청 등록
최보규 리더동기부여 코칭전문가
등록 번호: 제 40-2128786 호
특허청 등록
최보규 강사책출간 코칭전문가
등록 번호: 제 40-2200794 호
지금처럼이 아닌 지금부터 살게 해주겠습니다.
때를 기다리는 사람이 아닌 때를 만들어가는
사람으로 변화시켜 주겠습니다.
세상에는 최보규 코칭전문가 보다
코칭을 잘 하는 사람 많습니다.
하지만 세상에서 최보규 코칭전문가 만큼
함께 하는 사람을
자립할 수 있을 때까지 케어해주는 사람은 없을 것입니다!
최보규 방탄자기계발사관학교 참모총장
Google 자기계발아마존
YouTube 방탄자기계발
NAVER 방탄자기계발사관학교
NAVER 최보규

◈ 참고문헌, 출처

《300만원 동기부여 강의》 최보규, 부크크, 2023

<유튜브 PPT 디자인, 증증이는 작업중>

<네이버 블로그 With PPT 요모조모>

《감정 경제학》 조원경, 페이지2북스, 2023

<네이버 블로그 카루의 프리랜서 라이프>

강사 비수기 5개월 3
(돈 못 버는 강사 돈 버는 강사)

발 행 | 2024년 08월 08일
저 자 | 최보규, 서윤희
편 집 | 최보규, 서윤희
디자인 | 최보규, 서윤희
마케팅 | 최보규
펴낸이 | 한건희
펴낸곳 | 주식회사 부크크
출판사등록 | 2014.07.15.(제2014-16호)
주 소 | 서울특별시 금천구 가산디지털1로 119 SK트윈타워 A동 305호
전 화 | 1670-8316
이메일 | info@bookk.co.kr

ISBN | 979-11-410-9857-5

www.bookk.co.kr